D0256719

De vrije loper

Beginnen met hardlopen

De vrije loper

Beginnen met hardlopen

Bea Splinter
Siebe Turksma

HET GOEDE BOEK
UITGEVERIJ

UITGEVERIJ HET GOEDE BOEK, HUIZEN

VERANTWOORDING

Het aantal fouten dat je kunt maken in een boek van ruim 100 pagina's is enorm. Het aantal mogelijkheden om een boek te verbeteren is nog veel groter. Daarom zijn we heel dankbaar voor het aandachtige meelezen en de suggesties van Ans van der Knaap en Gertjan Reichman.
De scherpe blik van Marjan Rikkers heeft ons behoed voor kleine en grote missers.
Verder gaat onze dank uit naar het geduldige en kundige modelwerk van Sylvia Vos.

Bij dit boek hoort een website. Hier kun je aanvullende informatie vinden en feedback geven.

www.devrijeloper.nl

Foto's en opmaak: Siebe Turksma
Druk: Haasbeek BV, Alphen a/d Rijn

978 90 240 0701 1 Beginnen met hardlopen
© 2008 Bea Splinter, Siebe Turksma en BV Het Goede Boek

Correspondentie-adres:
Het Goede Boek,
Koningin Wilheminastraat 8,
1271 PH Huizen.
Fax 035-5254013
info@goedeboek.nl

INHOUD

BEGINNEN MET HARDLOPEN

1

Voor wie is dit boek?

Dit boek is bedoeld voor elke gezonde volwassene die voor zichzelf wil beginnen met hardlopen. Als je alleen of met een vriend of vriendin veilig wilt gaan hardlopen, vind je in dit boek een plan voor het eerste jaar van je 'hardloopcarrière'. Als je start met hardlopen is het eigenlijk beter om onder deskundige leiding bij een atletiekvereniging of loopgroep te gaan trainen. Maar niet iedereen wil of kan dit.

Zorg voor een gezonde start.

In elk geval moet je gezond zijn. Als je er niet zeker van bent of je veilig kunt gaan hardlopen, doe je er goed aan een bezoek aan je huisarts te brengen. Een andere mogelijkheid is je te laten keuren bij een Sport Medisch Adviescentrum (SMA). Je kunt een SMA bij jou in de buurt vinden op www.sportkeuring.nl.

De opzet van dit boek

De kern van dit boek bestaat uit een aantal trainings-schema's. Deze schema's geven van week tot week aan

hoe je verantwoord kunt trainen. We realiseren ons echter dat iedereen verschillend is en dat niet iedereen hetzelfde schema kan of wil volgen. Daarom hebben we varianten op de schema's gemaakt. Sterker nog, de schema's zijn interactief. Na iedere trainingsweek kun je kijken of je nog op het juiste pad zit. Als de week te licht was, kun je wat meer doen. Was de trainingsweek te zwaar, dan kun je een stapje terug doen.

Het boek begeleidt je in je eerste hardloopjaar. Gedurende het jaar werken we aan je looptechniek, je lenigheid en je kracht. Dit doen we door steeds nieuwe oefeningen te introdu-ceren. Zo zijn er oefeningen die je voor, tijdens of na de training kunt doen, maar ook ondersteunende oefeningen die je los van het hardlopen kunt uitvoeren.

De schema's

Om met een trainingsschema te kunnen beginnen moet je eerst bepalen hoeveel tijd je hebt om te gaan hardlopen.

Eén, twee of drie keer per week?

We hebben schema's voor één, twee of drie keer trainen per week. We vinden dat één keer wat weinig is, maar het kan wel. Als je voor een bepaald aantal trainingen kiest, doe je dit niet per week, maar moet je dit een langere tijd kunnen volhouden.

We maken in de eerste zestien weken van de schema's geen onderscheid in hoe snel je kunt lopen. Deze weken staan in het teken van een voorzichtige opbouw. Door de voorzichtige opbouw kan je lichaam wennen aan de ongewone en toch wel stevige belasting die het hardlopen geeft.

Vanaf week zeventien gaan we wel onderscheid maken afhankelijk van je hardloopvermogen. Om te kunnen bepalen wat je het beste kunt doen, zit er in de twaalfde en de zestiende week een test.

Rustig opbouwen!

De eerste weken gebruik je dus om heel rustig op te bouwen. Sterker nog de eerste vier weken ga je alleen oefeningen doen en wandelen. Wel heel stevig wandelen. Dit kan nog best tegenvallen. Vanaf 8 km/h is wandelen aanmerkelijk vermoeiender dan hardlopen! Ook al wil je reuze graag met hardlopen aan de slag, sla deze eerste vier wandelweken beslist niet over! De kans op blessures wordt door deze opbouw veel kleiner.

Lopen op gevoel

Hardlopen moet vooral een plezierige bezigheid zijn. Dit betekent onder andere dat we niet werken met heel precieze tempoaanduidingen of een bepaalde hartslag. De ene dag is namelijk de andere niet. Na een drukke dag op het werk kan het hardlopen zwaar vallen, maar ook juist de perfecte ontspanning zijn.

Vertrouw op je gevoel.

Lopen belast je lichaam. Een te grote belasting kan schade (blessures) veroorzaken. Hoe weet je of je je lichaam te zwaar belast? Het aardige is dat je gevoel waarschijnlijk de beste graadmeter is. Als het zwaar voelt, dan is het zwaar. Voelt het licht, dan is het licht. Belangrijk is wel dat het je eigen gevoel is en niet het gevoel van je looppartner. Let er dus op dat je jezelf niet laat beïnvloeden door anderen. Loop altijd op je eigen gevoel.

In de schema's geven we steeds aan hoe hard je zou moeten lopen. Dat is namelijk niet bij iedere training hetzelfde. Verschillende tempo's geven verschillende trainingseffecten.

In beeld brengen van je gevoel

Om ervoor te zorgen dat je niet te veel of te weinig traint, laten we je de zwaarte van je trainingen in kaart brengen. We baseren dit op jouw gevoel. Als jij het zwaar vindt, is de training zwaar. Om dit een beetje ordelijk te doen, kun je na iedere training 'scoren' hoe zwaar je het vond. Dit doe je met een schaalverdeling van 1 tot en met 10. Hoe zwaarder de training voor je was, des te hoger de score. Een score van 1 is heel licht, een score van 5 is gemiddeld comfortabel zwaar en een score van 10 is de grootste inspanning die je je kunt voorstellen.

Gevoelsscore: gevoel in getallen.

Aan het einde van een training geef je de training een score. Door de scores van een week te bekijken, kun je zien of de trainingen wat te licht of misschien te zwaar voor je waren. Aan de hand daarvan kun je je training bijstellen.

Ademhaling

Je ademhaling zegt veel over hoe hard je bezig bent. Als je heel zwaar ademt, ben je heel hard bezig. Als je nog gezellig kunt babbelen tijdens het lopen, doe je het kalm aan. Aan de hand van je ademhaling kun je dus goed je tempo bepalen. We zullen meestal een trainingstempo aanreiken waarbij je nog uitstekend kunt praten. Af en toe is het ook goed om even flink te werken, in zo'n tempo dat je alleen nog in korte zinnen kunt praten.

Wat heb je nodig om hard te lopen?

Het belangrijkste dat je nodig hebt is een paar goede hardloopschoenen. Dit hoeven geen superschoenen te zijn. Ze moeten echter wel goed zitten en bij jouw lijf en jouw manier van lopen passen. Koop ze bij voorkeur bij een hardloopspeciaalzaak, maar laat je niet de duurste schoenen uit het rek aanpraten. Let vooral op de volgende dingen:

Schoenen moeten bij jouw lichaam en jouw manier van lopen passen.

- De schoenen moeten goed zitten. De voeten mogen, ook als de veters nog los zitten, tijdens het lopen niet in de schoenen heen en weer glijden. Dit kun je in de winkel proberen.
- Als je stevig gebouwd bent, moeten de schoenen ook wat steviger zijn.
- Als je geen duidelijke afwijkingen in je lopen hebt, moet je neutrale schoenen hebben. Vraag om een second opinion als de verkoper je schoenen met speciale aanpassingen wil aanraden.
- Bij het passen van de schoenen moet je de sokken dragen die je ook bij het hardlopen gaat gebruiken.

De rest van je outfit moet vooral lekker zitten en passen bij de weersomstandigheden. De marketing van loopkleding heeft het tegenwoordig over 'kledingsystemen', of wel uitgebalanceerde lagen van kleding. Het belangrijkste is echter dat je draagt waar je je lekker in voelt. Het is voor iedereen anders. Voor vrouwen is het vaak wel aan te bevelen een sport-BH aan te schaffen. Je merkt vanzelf of dat voor jou van toepassing is.

Weersomstandigheden

Draag kleren in lagen.

Je moet je loopkleding aanpassen aan de weersomstandigheden. Als het koud is moet je voldoende kleren aandoen. Het beste kun je dan meer lagen dragen. Het geeft meer bescherming tegen de kou en je kunt iets uittrekken als je het te warm krijgt. Als het kouder dan een graad of 15 is, verdient het aanbeveling een lange broek te dragen. Je spieren moeten lekker warm blijven.

Erg koud of erg warm

Als het echt koud is, kun je het beste ook een muts dragen; je verliest namelijk erg veel warmte via je hoofd. Draag als het koud is altijd ruim voldoende kleren. Tijdens het hardlopen krijg je het weliswaar warm, maar als je om de een of andere reden niet meer verder kunt hardlopen, kun je maar beter voldoende kleren aan hebben.

Bij erg warm weer kun je de training gerust een keertje overslaan. De training is bij dat warme weer niet effectief en het is niet goed voor je gezondheid.

Onweer, mist, gladheid en storm

Blijf bij onweer, mist, gladheid of storm gewoon lekker thuis. Mist is erg gevaarlijk, niet alleen omdat je zelf niet veel kunt zien, maar ook omdat anderen jou niet kunnen zien.

Veiligheid

Draag in het donker altijd een reflectiehes.

Loop als het even kan daar waar geen gemotoriseerd verkeer is. Als je toch op de openbare weg loopt, houd je dan aan de verkeersregels en zorg er vooral voor dat de andere weggebruikers je goed kunnen zien. Draag in het donker altijd reflecterende kleding. Er zijn speciale, reflecterende hesjes voor lopers.

Ga ook indien mogelijk samen met iemand lopen. Het is gezelliger en veiliger. Neem als je alleen gaat bij voorkeur een telefoon mee en zorg dat je identificatiegegevens bij je hebt.

Pijntjes

Hardlopen is een sport zonder grote risico's. Als je het verstandig doet en je training goed doseert, zul je ook niet vaak een blessure hebben. Toch krijgt iedereen tijdens zijn hardloopleven wel eens ergens last van. Eén keer een pijntje is niet erg. Als je echter iedere keer als je gaat lopen ergens last van hebt, wordt het tijd om actie te ondernemen.

Aan de slag

Genoeg tekst. In het volgende hoofdstuk beschrijven we de trainingen van de eerste vier weken. Succes!

DE EERSTE VIER WEKEN
WANDELEN

De eerste vier weken ga je de volgende dingen doen:
- een trainingsroutine opbouwen
- een eerste stel oefeningen leren
- stevig wandelen.

Eerst wandelen om de belasting van het hardlopen aan te kunnen.

Je gaat dus nog helemaal niet hardlopen. Eerst moet je je lijf klaarstomen om de tamelijk grote belasting van het hardlopen aan te kunnen. Aan het einde van deze vier weken kun je de hardlooptraining veel beter aan en is de kans op blessures kleiner.

Trainingsroutine
Veel zelf trainende hardlopers hebben een vaste routine. Ze trekken de deur van hun huis achter zich dicht, gaan een vast rondje hard hardlopen, puffen bij de voordeur even uit en storten dan op de bank neer. Dat is niet de routine die we zoeken. Wij zijn voorstanders van een verantwoorde routine die er als volgt uitziet:
- rustig inlopen
- losmaakoefeningen (de warming-up)
- kracht- en techniekoefeningen
- loopkern van de training
- losmaak- en rekoefeningen (de cooling-down)
- heel rustig uitlopen.

Het *inlopen* en de *warming-up* zorgen ervoor dat je lichaam en geest helemaal klaar zijn voor de training. Niet alleen loop je daarna lekkerder, het voorkomt ook blessures.
De *kracht- en techniekoefeningen*, die overigens niet in elke training zitten, zorgen ervoor dat je langzaam maar zeker een betere hardloper wordt die mooi, snel en efficiënt kan lopen.
De *loopkern* vormt het hart van de training.
Na een stuk lopen ben je vaak behoorlijk stijf. Daarom volgt na de loopkern de *cooling-down* met losmaak- en rekoefeningen. Door heel rustig uit te lopen wordt het hele lichaam weer op een normale temperatuur gebracht. Je kunt je voorstellen dat je daarna gemakkelijker weer je normale dagelijkse dingen kunt oppakken.
Deze trainingsroutine is algemeen en bruikbaar voor alle looptrainingen. Voor beginners zowel als voor gevorderden, voor langzame zowel als voor snelle lopers.

De eerste oefeningen

Gedurende het jaar leer je een aantal oefeningen. Er zijn oefeningen om lekker op temperatuur te komen, oefeningen na de trainingen, oefeningen om sterker te worden, enzovoort.

Oefeningen:
B - Beweeglijkheid
K - Kracht
T - Techniek
R - Rekken

De oefeningen zijn ingedeeld naar soort. Voor de eerste weken zijn er oefeningen voor de beweeglijkheid, oefeningen voor de kracht en een aantal rekoefeningen. Alle oefeningen hebben een letter en een nummer. De letter geeft de soort aan. B voor beweeglijkheid, K voor kracht, T voor techniek en R voor een rekoefening. Achter in dit boek staat een register waarin je alle oefeningen gemakkelijk terug kunt vinden.

Inlopen

Rustig inlopen is moeilijker dan je denkt. Gelukkig beginnen we gemakkelijk. In de eerste vier weken starten we iedere training met tien minuten rustig wandelen.

Warming-up

De warming-up bestaat uit enkele eenvoudige losmaakoefeningen. We beperken ons om te beginnen tot een klein aantal oefeningen. De oefeningen staan op de rechterpagina uitgelegd.

Week	Oefeningen
1	B1 Enkels losdraaien (beide enkels 5 x rechts- en 5 x linksom). B2 Armen hoog uitstrekken (5 x links en 5 x rechts). B3 Armen langs het lichaam zwaaien (ongeveer 10 x).
2	B1 Enkels losdraaien (beide enkels 5 x rechts- en 5 x linksom). B2 Armen hoog uitstrekken (5 x links en 5 x rechts). B3 Armen langs het lichaam zwaaien (ongeveer10 x).
3	B1 Enkels losdraaien (beide enkels 5 x rechts- en 5 x linksom). B2 Armen hoog uitstrekken (5 x links en 5 x rechts). B3 Armen langs het lichaam zwaaien (ongeveer 10 x).
4	B1 Enkels losdraaien (beide enkels 5 x rechts- en 5 x linksom). B2 Armen hoog uitstrekken (5 x links en 5 x rechts). B3 Armen langs het lichaam zwaaien (ongeveer 10 x).

Warming-up week 1 t/m 4

Het valt je misschien op dat de oefeningen voor alle weken dezelfde zijn. Later zullen we wat meer gaan variëren.

B1 Enkels losdraaien

Ga stevig rechtop staan, zoek zo nodig steun. Til één been op, zodat het bovenbeen horizontaal is. Laat het onderbeen ontspannen hangen. Draai nu je voet een aantal keren losjes rechtsom. Doe dit vervolgens een aantal keren linksom. Wissel van been.

B2 Armen hoog uitstrekken

Zet je voeten iets uit elkaar, ongeveer op heupbreedte. Trek je rug een beetje hol en trek je onderbuik in. Strek dan je rechterarm zo ver mogelijk omhoog uit, terwijl je linkerarm ontspannen langs je lichaam hangt. Houd dit een paar tellen vast en wissel dan van arm.

B3 Armen langs het lichaam zwaaien

Zet je voeten iets uit elkaar, ongeveer op heupbreedte. Trek je rug een beetje hol en trek je onderbuik in. Zwaai beide armen tegelijk langs je lichaam naar voren en naar achteren. Veer een beetje mee door je knieën.
Dit is de basisbeweging.
Voel je vrij om te variëren.

Kracht- en techniekoefeningen

Voor de eerste vier weken krijg je een stel oefeningen
voor de voeten. Om het in het begin niet te moeilijk
te maken, doe je iedere training ongeveer dezelfde
oefeningen. Je gaat alleen steeds iets meer doen. Ook zijn
er kleine variaties.

Week	Oefeningen
1	K1 Voeten afwikkelen normaal, over 20 meter. K2 Rug uitstrekken tijdens het wandelen, ongeveer 20 meter. K3 Knieheffen tijdens het wandelen, ongeveer 20 meter. K4 Kleine tweebenige sprongen, 10 keer.
2	K1 Voeten afwikkelen en op de tenen komen, over 15 meter. K2 Rug uitstrekken tijdens het wandelen, ongeveer 20 meter. K3 Knieheffen tijdens het wandelen, ongeveer 20 meter. K4 Kleine tweebenige sprongen, 12 keer.
3	K1 Voeten afwikkelen over de buitenkant en over de binnenkant van de voet (elk 10 meter). K2 Rug uitstrekken tijdens het wandelen, ongeveer 20 meter. K3 Knieheffen tijdens het wandelen, ongeveer 20 meter. K4 Kleine tweebenige sprongen, 14 keer.
4	K1 Voeten afwikkelen en op de tenen komen, over 20 meter. K2 Rug uitstrekken tijdens het wandelen, ongeveer 20 meter. K3 Knieheffen tijdens het wandelen, ongeveer 20 meter. K4 Kleine tweebenige sprongen, 10 keer.

Krachtoefeningen week 1 t/m 4

K1 Voeten afwikkelen

Dit is een oefening die de kracht in de voeten vergroot. De oefening bestaat steeds uit een stukje wandelen op een iets andere, meer belastende manier dan normaal.

Overdreven afwikkelen

Bij het wandelen wikkel je de voeten van hak naar teen af. Bij deze oefening overdrijf je de normale wandelbeweging door nadrukkelijk over de tenen af te duwen.

Op de buitenkant van de voeten lopen

Je wandelt nu, weer overdreven afwikkelend, over de buitenrand van je voeten.

Op de binnenkant van de voeten lopen

Hetzelfde als de vorige variatie, maar nu wikkel je af over de binnenkant van de voeten. Je benen zullen iets verder uit elkaar moeten, omdat anders de knieën botsen.

K2 Rug uitstrekken tijdens wandelen

Dit is een simpele maar belangrijke oefening voor de rompspieren. Door tijdens het wandelen je romp goed uit te strekken, versterk je de rompspieren. Het uitstrekken doe je door je onderrug een klein beetje hol te trekken en je buikspieren van onderuit aan te spannen. Je komt dan vanzelf mooi omhoog.

Je kunt het effect nog wat versterken door je armen ook volledig naar boven uit te strekken.

K3 Knieheffen tijdens wandelen

Een simpele maar effectieve oefening voor je rompspieren en de spieren die je been heffen. Tijdens het wandelen til je steeds je knieën hoog op. Zorg ervoor dat je rompspieren goed aangespannen blijven terwijl je dit doet.

K4 Kleine tweebenige sprongen

Hardlopen bestaat eigenlijk uit het steeds maar springen. Iedere pas is een sprong. Door je sprongkracht (geleidelijk) te verhogen, ga je beter hardlopen.

Maak met je benen naast elkaar (op heupbreedte) een serie kleine sprongen. Houd tijdens de sprongen je rompspieren goed aangespannen. Maak niet meer sprongen dan in het programma staan.

De sprongen kun je voorwaarts, achterwaarts, zijwaarts of in combinaties doen. Als er geen bijzonderheden in het trainingsprogramma staan, worden voorwaartse sprongen bedoeld.

Cooling-down

De cooling-down bestaat uit enkele eenvoudige losmaakoefeningen samen met een stel rekoefeningen. We beperken ons tot een klein aantal oefeningen. Later gaan we meer oefeningen toevoegen.

Week	Oefeningen
1	B2 Armen hoog uitstrekken (4 x links en 4 x rechts). R1 Buitenste kuitspieren rekken (2 x 20 seconden voor elk been). R2 Diepe kuitspieren rekken (2 x 20 seconden voor elk been). B1 Enkels losdraaien (beide enkels 5 x linksom en 5 x rechtsom).
2	B2 Armen hoog uitstrekken (4 x links en 4 x rechts). R1 Buitenste kuitspieren rekken (2 x 20 seconden voor elk been). R2 Diepe kuitspieren rekken (2 x 20 seconden voor elk been). B1 Enkels losdraaien (beide enkels 5 x linksom en 5 x rechtsom).
3	B2 Armen hoog uitstrekken (4 x links en 4 x rechts). R1 Buitenste kuitspieren rekken (2 x 20 seconden voor elk been). R2 Diepe kuitspieren rekken (2 x 20 seconden voor elk been). B1 Enkels losdraaien (beide enkels 5 x linksom en 5 x rechtsom).
4	B2 Armen hoog uitstrekken (4 x links en 4 x rechts). R1 Buitenste kuitspieren rekken (2 x 20 seconden voor elk been). R2 Diepe kuitspieren rekken (2 x 20 seconden voor elk been). B1 Enkels losdraaien (beide enkels 5 x linksom en 5 x rechtsom).

Cooling-down week 1 t/m 4

Oefening B1 en B2 staan bij de warming-up beschreven.

Uitlopen

Het uitlopen zorgt ervoor dat het lichaam weer in een normale rusttoestand komt. Dit is het simpelste deel van de training. Het enige dat je doet is 5 à 10 minuten rustig lopen. In de eerste vier weken zal dat wandelen zijn.

Loopkern

De eerste vier weken ga je alleen wandelen. Je gaat wel heel stevig wandelen. Dit is zwaarder dan je denkt. We geven drie versies van de loopkern, afhankelijk van het aantal keren dat je per week gaat trainen.

R1 Buitenste kuitspieren rekken

Je hebt twee lagen kuitspieren. Elk van deze lagen moet worden gerekt. Deze oefening is voor de buitenste laag.
Ga in een kleine schredestand staan (zoals op de afbeelding). Duw dan je bekken naar voren, zodat er rek op de kuiten van het achterste been komt. Het achterste been blijft recht. Houd deze positie tussen 10 en 20 seconden vast. Zorg ervoor dat je voeten netjes vooruit gericht staan.
Rek nooit zo hard dat het pijn doet.

R2 Diepe kuitspieren rekken

Deze oefening rekt de dieper gelegen kuitspieren.
Ga in een kleine schredestand staan. Rek de diepe kuitspieren van het achterste been door jezelf door je knieën te laten zakken. Je voelt nu rek in de achillespees en de spieren van het achterstaande been.
Zorg er weer voor dat je voeten recht vooruit staan.

We gebruiken de volgende, eenvoudige, tempoaanduidingen:

Aanduiding	Betekenis
W	Normaal wandelen, dit is voor de meeste mensen ongeveer 5 km/h.
W⁺	Stevig wandelen, tussen 6 en 7 km/h.
W⁺⁺	Hard wandelen, zo stevig als je kunt.

Eén training per week

De volgende tabel laat zien wat je kunt doen als je één keer per week traint. Je kunt waarschijnlijk het beste op een vaste dag gaan trainen. Het hoeft echter niet. Zorg er wel voor dat je niet op twee aaneengesloten dagen traint. De getallen voor de tempoaanduidingen zijn steeds het aantal minuten. Wanneer iets tussen haakjes staat wordt het een aantal keren herhaald.

Week	Dag	Loopkern	Tijd
1	1	2 **W⁺**, 1 **W**, 3 **W⁺**, 1 **W**, 4 **W⁺**, 1 **W**, 3 **W⁺**	15 min
2	1	2 x (2 **W⁺**, 1 **W**), 2 **W⁺⁺**, 2 **W**, 2 **W⁺⁺**, 2 **W**, 2 x (2 **W⁺**, 1 **W**)	20 min
3	1	2 x (3 **W⁺**, 1 **W**), 2 x (2 **W⁺⁺**, 1 **W**), 2 x (3 **W⁺**, 1 **W**)	22 min
4	1	2 x (4 **W⁺**, 1 **W**), 2 x (2 **W⁺⁺**, 1 **W**), 2 x (4 **W⁺**, 1 **W**)	26 min

Kern week 1 t/m 4 één training per week

Voor alle duidelijkheid, de kern van week 2 gaat als volgt:
Je begint met 2 x (2 **W⁺**, 1 **W**). Dat is dus:
- 2 minuten stevig wandelen
- 1 minuut normaal wandelen
- 2 minuten stevig wandelen
- 1 minuut normaal wandelen.

Vervolgens doe je 2 **W⁺⁺**, 2 **W**, 2 **W⁺⁺**, 2 **W**. Dat is:
- 2 minuten hard wandelen
- 2 minuten normaal wandelen
- 2 minuten hard wandelen
- 2 minuten normaal wandelen.

Met als laatste 2 x (2 **W⁺**, 1 **W**). Wat staat voor:
- 2 minuten stevig wandelen
- 1 minuut normaal wandelen
- 2 minuten stevig wandelen
- 1 minuut normaal wandelen.

Het is even wennen, maar je zult zien dat je de schema's na een paar weken kunt lezen als een stripverhaal.

Twee trainingen per week

We vervolgen met het schema voor twee trainingen per week. Hierbij moet je ervoor zorgen dat er altijd één en bij voorkeur twee rustdagen tussen de trainingen liggen. Het makkelijkst is om vaste dagen te kiezen. Bijvoorbeeld de woensdag en de zaterdag.

Week	Dag	Loopkern	Tijd
1	1	2 W⁺, 1 W, 3 W⁺, 1 W, 4 W⁺, 1 W, 3 W⁺	15 min
	2	3 x (4 W⁺, 1 W)	15 min
2	1	2 x (2 W⁺, 1 W), 2 W⁺⁺, 2 W, 2 W⁺⁺, 2 W, 2 x (2 W⁺, 1 W)	20 min
	2	6 x (2 W⁺, 1 W)	18 min
3	1	2 x (3 W⁺, 1 W), 2 x (2 W⁺⁺, 1 W), 2 x (3 W⁺, 1 W)	22 min
	2	4 x (4 W⁺, 1 W)	20 min
4	1	2 x (4 W⁺, 1 W), 2 x (2 W⁺⁺, 1 W), 2 x (4 W⁺, 1 W)	26 min
	2	3 x (5 W⁺, 1 W)	18 min

Kern week 1 t/m 4 twee trainingen per week

Drie trainingen per week

Het derde schema is voor drie trainingen per week. Zorg ook hier altijd voor een rustdag na iedere training.

Week	Dag	Loopkern	Tijd
1	1	2 W⁺, 1 W, 3 W⁺, 1 W, 4 W⁺, 1 W, 3 W⁺	15 min
	2	3 x (3 W⁺, 1 W)	12 min
	3	2 x (6 W⁺, 1 W)	14 min
2	1	2 x (2 W⁺, 1 W), 2 W⁺⁺, 2 W, 2 W⁺⁺, 2 W, 2 x (2 W⁺, 1 W)	20 min
	2	3 x (3 W⁺, 1 W)	12 min
	3	2 x (6 W⁺, 1 W)	14 min
3	1	2 x (3 W⁺, 1 W), 2 x (2 W⁺⁺, 1 W), 2 x (3 W⁺, 1 W)	22 min
	2	6 x (2 W⁺, 1 W)	18 min
	3	2 x (5 W⁺, 1 W)	12 min
4	1	2 x (4 W⁺, 1 W), 2 x (2 W⁺⁺, 1 W), 2 x (4 W⁺, 1 W)	26 min
	2	4 x (4 W⁺, 1 W)	20 min
	3	3 x (3 W⁺, 1 W)	12 min

Kern week 1 t/m 4 drie trainingen per week

De eerste training helemaal uitgewerkt

Om een complete training te kunnen doen, moet je alle onderdelen van de training aan elkaar plakken. Als voorbeeld werken we de eerste training van het schema met twee trainingen per week helemaal uit.

Onder-deel	Details	Tijd
Inlopen	Rustig wandelen	10 min
Warming-up	B1 Enkels losdraaien (5 x rechts- en 5 x linksom). B2 Armen hoog uitstrekken (5 x links en 5 x rechts). B3 Armen langs het lichaam zwaaien.	5 min
Techniek/kracht	K1 Voeten afwikkelen normaal, over 20 meter. K2 Rug uitstrekken tijdens het wandelen, ongeveer 20 meter. K3 Knieën heffen tijdens het wandelen, ongeveer 20 meter. K4 Kleine tweebenige sprongen, 10 keer.	5 min
Kern	2 **W**+, 1 **W**, 3 **W**+, 1 **W**, 4 **W**+, 1 **W**, 3 **W**+	15 min
Cooling-down	B2 Armen hoog uitstrekken (4 x links en 4 x rechts). R1 Buitenste kuitspieren rekken (2 x 20 seconden). R2 Diepe kuitspieren rekken (2 x 20 seconden). B1 Enkels losdraaien (beide enkels 5 x links- en 5 x rechtsom).	5 min
Uitlopen	Rustig wandelen	5-10 min
Totaal		45-50 min

*Door het wandelen
in de eerste vier
weken, kun je
nu veilig gaan
hardlopen.*

Nadat je vier weken door wandelen aan je belastbaarheid hebt gewerkt, kun je eindelijk veilig beginnen met hardlopen. Het grootste deel van de training bestaat in week 5 nog uit wandelen, maar in week 8 bestaat de hoofdmoot uit hardlopen.

Gevoelsscore

Omdat hardlopen een stuk zwaarder is dan wandelen, ga je ook gebruik maken van je gevoelsmatige score om te kijken of de trainingen de juiste zwaarte hebben.

Lees, indien nodig, nog even het stukje *in beeld brengen van je gevoel* uit hoofdstuk 1 door.

Je gaat vanaf nu iedere training een score tussen 1 en 10 geven. Je gebruikt een score van 10 als je totaal uitgeput bent en een score van 1 als je het gevoel hebt helemaal niets gedaan te hebben. Een 5 is comfortabel zwaar, je hebt lekker getraind.

Aan het einde van iedere trainingsweek kun je met behulp van je scores kijken hoe je de training het beste kunt vervolgen.

Meer oefeningen

Je gaat een paar nieuwe oefeningen leren, maar je blijft ook de meeste oefeningen van de eerste weken doen.

Inlopen

Het inlopen blijft natuurlijk heel rustig, maar er kan ook al een klein beetje hardlopen bij. Voor het inlopen breiden we het repertoire van tempo's uit. Een nieuwe tempoaanduiding is **Dr**, de Dr van dribbelen. Dribbelen is het langzaamste hardlooptempo. In de volgende tabel zie je nog eens alle tempo's die je bij het inlopen gaat gebruiken.

Aanduiding	Betekenis
W	Normaal wandelen, dit is voor de meeste mensen ongeveer 5 km/h.
W⁺	Stevig wandelen, ongeveer 6 km/h.
Dr	Dribbelen, zo langzaam mogelijk hardlopen.

De volgende tabel geeft aan wat je bij het inlopen gaat
doen. In week 5 is het alleen nog wandelen, maar in week
6 komt het eerste stukje dribbelen erin.

Week	Inlopen
5	2 **W**, 4 x (1 **W⁺**, 1 **W**)
6	1 **W**, 2 x (1 **W⁺**, 1 **W**), 2 x (1 **Dr**, 2 **W**)
7	1 **W**, 1 **W⁺**, 1 **W**, 3 x (1 **Dr**, 2 **W**)
8	1 **W**, 3 x (1 **Dr**, 2 **W**)

Inlopen week 5 t/m 8

We roepen nog even in herinnering hoe de tempoaanduidingen werken. Bij week 8 begin je met één
minuut wandelen, gevolgd door drie keer één minuut
dribbelen en twee minuten wandelen. In totaal dus 10
minuten.

Warming-up
Voor de warming-up gebruiken we oefeningen die lijken
op die van de eerste vier weken. Hiernaast staan twee
nieuwe variaties afgebeeld.

Week	Oefeningen
5	B1 Enkels losdraaien (beide enkels 5 x rechts- en 5 x linksom). B4 Armen voorlangs zwaaien, variatie 1 (ongeveer 12 x). B5 Uitstrekken op de tenen (5 x).
6	B1 Enkels losdraaien (beide enkels 5 x rechts- en 5 x linksom). B4 Armen voorlangs zwaaien, variatie 2 (ongeveer 12 x). B5 Uitstrekken op de tenen (6 x).
7	B1 Enkels losdraaien (beide enkels 5 x rechts- en 5 x linksom). B4 Armen voorlangs zwaaien, variatie 3 (ongeveer 12 x). B5 Uitstrekken op de tenen (7 x).
8	B1 Enkels losdraaien (beide enkels 5 x rechts- en 5 x linksom). B4 Armen voorlangs zwaaien, variatie 2 (ongeveer 12 x). B5 Uitstrekken op de tenen (6 x).

Warming-up week 5 t/m 8

Kracht- en techniekoefeningen
Ook hiervoor twee nieuwe oefeningen.

Week	Oefeningen
5	K5 Wandelcombinatie over 2 x 15 meter (een minuut pauze). T1 Knieheffen tijdens het dribbelen, ongeveer 20 meter. K4 Kleine tweebenige sprongen, 2 x 7 sprongetjes (een minuut pauze).

B4 Armen voorlangs zwaaien

Zet je voeten iets uit elkaar, ongeveer op heupbreedte. Trek je rug een beetje hol en trek je onderbuik in. Zwaai beide armen tegelijk voor je lichaam. Veer een beetje mee door je knieën.
Dit is de basisbeweging (variatie 1).
De volgende variaties zijn mogelijk:
Dieper inveren door de knieën (variatie 2).
Armen zwaaien tegen elkaar in (variatie 3).

B5 Uitstrekken op de tenen

Zet je voeten iets uit elkaar, ongeveer op heupbreedte. Trek je rug een beetje hol en trek je onderbuik in. Strek dan je armen zo ver mogelijk omhoog uit en kom op je tenen. Houd dit 10 tellen vast. Laat je armen ontspannen langs het lichaam vallen. Buig daarbij door de knieën en kom weer terug op de hele voet.

K5 Wandelcombinatie

Deze oefening combineert de oefeningen K1, K2 en K3.
Wandel met het overdreven afwikkelen van de voeten en het heffen van je knieën. Terwijl je dat doet, strek je je romp goed uit. Je rug is licht hol en je buikspieren zijn aangespannen
Doe deze oefening rustig en met aandacht.

Week	Oefeningen
6	K5 Wandelcombinatie over 2 x 15 meter (een minuut pauze). T1 Knieheffen tijdens het dribbelen, ongeveer 20 meter. K4 Kleine tweebenige sprongen, 2 x 8 sprongetjes (een minuut pauze).
7	K5 Wandelcombinatie over 2 x 20 meter (een minuut pauze). T1 Knieheffen tijdens het dribbelen, ongeveer 20 meter. K4 Kleine tweebenige sprongen, 2 x 10 sprongetjes (een minuut pauze).
8	K5 Wandelcombinatie over 2 x 20 meter (een minuut pauze). T1 Knieheffen tijdens het dribbelen, ongeveer 20 meter. K4 Kleine tweebenige sprongen, 2 x 8 sprongetjes (een minuut pauze).

Krachtoefeningen week 5 t/m 8

Cooling-down

Na het hardlopen moeten meer spiergroepen gerekt worden. Deze vier weken voegen we weer een oefening toe: het rekken van de dijbeenspieren (de quadriceps).

Week	Oefeningen
5	B2 Armen hoog uitstrekken. R1 Buitenste kuitspieren rekken (2 x 20 seconden voor elk been). R2 Diepe kuitspieren rekken (2 x 20 seconden voor elk been). R3 Dijbeenspieren rekken (2 x 20 seconden voor elk been). B1 Enkels losdraaien (beide enkels 5 x links- en 5 x rechtsom).
6	B2 Armen hoog uitstrekken. R1 Buitenste kuitspieren rekken (2 x 20 seconden voor elk been). R2 Diepe kuitspieren rekken (2 x 20 seconden voor elk been). R3 Dijbeenspieren rekken (2 x 20 seconden voor elk been). B1 Enkels losdraaien (beide enkels 5 x links- en 5 x rechtsom).
7	B2 Armen hoog uitstrekken. R1 Buitenste kuitspieren rekken (2 x 20 seconden voor elk been). R2 Diepe kuitspieren rekken (2 x 20 seconden voor elk been). R3 Dijbeenspieren rekken (2 x 20 seconden voor elk been). B1 Enkels losdraaien (beide enkels 5 x links- en 5 x rechtsom).
8	B2 Armen hoog uitstrekken. R1 Buitenste kuitspieren rekken (2 x 20 seconden voor elk been). R2 Diepe kuitspieren rekken (2 x 20 seconden voor elk been). R3 Dijbeenspieren rekken (2 x 20 seconden voor elk been). B1 Enkels losdraaien (beide enkels 5 x links- en 5 x rechtsom).

Cooling-down week 5 t/m 8

Uitlopen

In deze weken houden we het nog bij wandelen. Wandel wel stevig, ongeveer 10 minuten.

T1 Knieheffen tijdens dribbelen

Een zwaardere variant van het knieheffen tijdens het wandelen. Nu doe je het met een rustig dribbelpasje. Het is een gewoon dribbelpasje, je hoeft dus niet extra af te wikkelen. Til ook je benen niet te hoog op. Zorg ervoor dat je rompspieren goed aangespannen blijven terwijl je dit doet.

R3 Dijbeenspieren rekken

Ga stabiel staan. Zorg bij voorkeur voor wat steun. Pak dan het te rekken been bij het enkelgewricht beet. Trek je buikspieren aan, waardoor je bekken licht kantelt. Trek nu je onderbeen naar achteren.

Houd ongeveer 5 tellen vast. Trek nu de voet wat meer naar de bil en laat je knie iets naar voren gaan. Houd dit 10 tellen vast.

Doordat je in twee fasen rekt, wordt je hele dijbeenspier goed gerekt.

Loopkern

In de eerste vier weken hebben we drie verschillende wandeltempo's gebruikt. We vullen dit aan met twee verschillende hardlooptempo's. Ze staan in de onderstaande tabel.

Aanduiding	Betekenis
W	Normaal wandelen, dit is voor de meeste mensen ongeveer 5 km/h.
W$^+$	Stevig wandelen, ongeveer 6 km/h.
W^{++}	Hard wandelen, zo stevig als je kunt.
Dr	Dribbelen, zo langzaam mogelijk hardlopen.
O	Ontspannen rustig hardlopen. Het is wat sneller dan dribbelen, maar je moet nog gemakkelijk kunnen praten en je moet niet het gevoel hebben dat je buiten adem raakt.

Het is belangrijk dat je je aan de tempo's houdt. Loop vooral niet te hard.
We gaan er vanuit dat je hetzelfde aantal trainingen gaat doen als in de eerste vier weken. Gedurende week 5 t/m 8 ga je steeds meer hardlopen.

Eén training per week

De volgende tabel laat zien wat je kunt doen als je één keer per week traint. Zorg er wel voor dat je niet op twee aaneengesloten dagen traint.

Week	Dag	Loopkern	Tijd
5	1	4 x (1 **Dr**, 1 **W**), 4 x (1 **O**, 1 **W**), 2 x (2 **O**, 2 **W**)	24 min
6	1	2 x (2 **Dr**, 1 **W**), 5 x (1 **O**, 1 **W**), 3 x (2 **O**, 2 **W**)	28 min
7	1	4 x (1 **O**, 1 **W**), 3 x (2 **O**, 1 **W**), 2 x (3 **O**, 2 **W**)	27 min
8	1	2 x (2 **O**, 1 **W**), 3 x (3 **O**, 1 **W**), 2 x (2 **O**, 1 **W**)	24 min

Kern week 5 t/m 8 één training per week

In de onderstaande tabel kun je je gevoelsmatige score invullen.

Week	Score	Norm 1 2 3 4 5 6 7 8 9 10
5		OK TE
6		OK TE
7		OK TE
8		OK TE

Scores week 5 t/m 8 één training per week

Na iedere week kijk je of je met je score in het goede gebied zit. Zolang je in het OK-gebied zit, is alles OK. Als je in het TE-gebied (van TE zwaar) zit, dan is het programma te zwaar.
In het onderstaande schema vind je een advies voor het vervolg van de training.

Scoregebied	Advies
OK of daaronder	Lekker verdergaan met het programma.
1 x in het TE-gebied	Loop je misschien te snel? Als je erg snel loopt, wordt het programma te zwaar. Loop in dit geval wat langzamer. Als je niet te snel loopt, kun je het beste de training van deze week een keer opnieuw doen.
2 x achter elkaar in het TE-gebied	Vraag om advies bij een SMA of je huisarts.
Je hebt het zo moeilijk dat je het programma een paar keer niet hebt kunnen afmaken.	Vraag om advies bij een SMA of je huisarts.

Twee trainingen per week

We vervolgen met het schema voor twee trainingen per week. Hierbij moet je ervoor zorgen dat er altijd één en bij voorkeur twee rustdagen tussen de trainingen liggen. Het is aan te bevelen om vaste dagen te kiezen. Bijvoorbeeld de woensdag en de zaterdag.

Week	Dag	Loopkern	Tijd
5	1	3 x (1 **Dr**, 1 **W**), 4 x (1 **O**, 1 **W**), 2 x (2 **O**, 2 **W**)	22 min
	2	8 x (1 **Dr**, 1 **W**)	16 min
6	1	2 x (1 **Dr**, 1 **W**), 5 x (1 **O**, 1 **W**), 3 x (2 **O**, 2 **W**)	26 min
	2	10 x (1 **Dr**, 1 **W**)	20 min
7	1	4 x (1 **O**, 1 **W**), 3 x (2 **O**, 1 **W**), 2 x (3 **O**, 2 **W**)	27 min
	2	5 x (2 **Dr**, 1 **W**)	15 min
8	1	4 x (2 **O**, 1 **W**), 2 x (3 **O**, 1 **W**)	20 min
	2	8 x (1 **Dr**, 1 **W**)	16 min

Kern week 5 t/m 8 twee trainingen per week

De gevoelsmatige score kun je voor iedere training in de onderstaande tabel invullen. Doe dat steeds direct na de training. Aan het einde van een week tel je de scores van de twee trainingen bij elkaar en zet je het resultaat bij het totaal.

Na iedere week kijk je of je met je score in het goede

Week	Trainingsscore 1	2	Score totaal	Norm 2 4 6 8 10 12 14 16 18 20
5				OK TE
6				OK TE
7				OK TE
8				OK TE

Scores week 5 t/m 8 twee trainingen per week

gebied zit. Zolang je in het OK-gebied zit, is alles OK. Als je in het TE-gebied (van TE zwaar) zit, dan is het programma te zwaar.

In het onderstaande schema vind je een advies voor het vervolg van de training.

Scoregebied	Advies
OK of daaronder	Lekker verdergaan met het programma.
1 x in het TE-gebied	Loop je misschien te snel? Als je erg snel loopt, wordt het programma te zwaar. Loop in dit geval wat langzamer. Als je niet te snel loopt, kun je het beste de training van deze week een keer opnieuw doen.
2 x achter elkaar in het TE-gebied	Vraag om advies bij een SMA of je huisarts.
Je hebt het zo moeilijk dat je het programma een paar keer niet hebt kunnen afmaken.	Vraag om advies bij een SMA of je huisarts.

Drie trainingen per week

Het derde schema is voor drie trainingen per week. Zorg ook hier altijd voor een rustdag na iedere training.

Week	Dag	Loopkern	Tijd
5	1	3 x (1 **Dr**, 1 **W**), 4 x (1 **O**, 1 **W**), 2 x (2 **O**, 2 **W**)	22 min
	2	8 x (1 **Dr**, 1 **W**)	16 min
	3	5 x (2 **Dr**, 1 **W**)	15 min
6	1	2 x (1 **Dr**, 1 **W**) , 5 x (1 **O**, 1 **W**), 3 x (2 **O**, 2 **W**)	26 min
	2	6 x (2 **Dr**, 1 **W**)	18 min
	3	8 x (1 **Dr**, 1 **W**)	16 min
7	1	4 x (1 **O**, 1 **W**), 3 x (2 **O**, 1 **W**), 2 x (3 **O**, 2 **W**)	27 min
	2	3 x (2 **Dr**, 1 **W**), 3 x (1 **O**, 1 **W**)	15 min
	3	6 x (2 **Dr**, 1 **W**)	18 min
8	1	4 x (2 **O**, 1 **W**), 2 x (3 **O**, 1 **W**)	20 min
	2	3 x (2 **Dr**, 1 **W**), 3 x (1 **O**, 1 **W**)	15 min
	3	5 x (2 **Dr**, 1 **W**)	15 min

Kern week 5 t/m 8 drie trainingen per week

Vul in de onderstaande tabel steeds na iedere training de gevoelsscores in. Aan het einde van iedere week tel je ze bij elkaar.

Week	Trainingsscore			Score totaal	Norm 2 4 6 8 10 12 14 16 18 20 22 24 26 28 30
	1	2	3		
5					OK TE
6					OK TE
7					OK TE
8					OK TE

Scores week 5 t/m 8 drie trainingen per week

Na iedere week kijk je of je met je score in het goede gebied zit. Zolang je in het OK-gebied zit, is alles OK. Als je in het TE-gebied (van TE zwaar) zit, is het programma nog te zwaar.

In het onderstaande schema vind je een advies voor het vervolg van de training.

Scoregebied	Advies
OK of daaronder	Lekker verdergaan met het programma.
1 x in het TE-gebied	Loop je misschien te snel? Als je erg snel loopt, wordt het programma te zwaar. Loop in dit geval wat langzamer. Als je niet te snel loopt, kun je het beste de training van deze week een keer opnieuw doen.
2 x achter elkaar in het TE-gebied	Stap over naar het programma met twee trainingen per week.
Je hebt het zo moeilijk dat je het programma een paar keer niet hebt kunnen afmaken.	Vraag om advies bij een SMA of je huisarts.

Eten en drinken voor en na de training

We gaan hier kort in op het eten en drinken voor en na de training.

Voor de training

Het loopt niet lekker op een volle maag. De laatste twee uur voor een training kun je beter geen vast voedsel nemen. Je moet er wel voor zorgen dat je voorafgaand aan de training voldoende hebt gedronken.
Sla echter nooit je ontbijt over. Ook al vind je het lekker om in alle vroegte te lopen.

Na de training

Topsporters zijn altijd druk in de weer met eten en drinken. Bij het sporten verbruik je energie en verlies je vocht. Op het niveau waar je nu in de trainingsopbouw zit, verbruik je nog niet vreselijk veel energie. Een training in de eerste acht weken vraagt minder dan de calorieën in een Big Mac. Het is nog niet erg veel, maar wel de moeite. Het is verstandig om in elk geval een gedeelte van de energie die tijdens het trainen is gebruikt direct na de training weer aan te vullen. Omdat je ook altijd vocht verliest en in de warmte soms heel veel, moet je na de training ook direct flink gaan drinken. Het beste is dan ook om direct na de training iets te drinken waar wat energie in zit. Je kunt kiezen voor een sportdrank, maar ook vruchtensap is uitstekend. Omdat vruchtensap vaak complexere suikers bevat dan sportdrank, kun je zelfs zeggen dat vruchtensap beter is. Na de training hebben sommige mensen een wat gevoelige maag. In dit geval moet je zelf uitzoeken wat lekker valt.

Direct na de training vocht aanvullen met sportdrank of vruchtensap.

WEEK 9 T/M 12
DE COOPERTEST

4

Je hebt nu acht weken training achter de rug. In de
komende vier weken gaan we vooral het duurvermogen
uitbouwen. In de twaalfde week kun je al een flink
stuk achter elkaar hardlopen. Je kunt dit testen met een
Coopertest. De resultaten van deze test worden ook
gebruikt voor de verdere training.

Inlopen

Het inlopen is nu simpeler dan in de vorige periode. Je gebruikt maar twee tempo's: wandelen en dribbelen.

Week	Inlopen
9	1 **W**, 2 x (1 **Dr**, 2 **W**), 2 x (1 **Dr**, 1 **W**)
10	1 **W**, 2 x (1 **Dr**, 2 **W**), 2 x (1 **Dr**, 1 **W**)
11	5 x (1 **Dr**, 1 **W**)
12	5 x (1 **Dr**, 1 **W**)

Warming-up

Voor de warming-up geven we oefeningen die lijken op die van de eerste vier weken. Hiernaast staat een nieuwe beenzwaai-oefening.

Week	Oefeningen
9	B1 Enkels losdraaien (beide enkels 5 x rechts- en 5 x linksom). B4 Armen voorlangs zwaaien, variatie 1 (ongeveer 12 x). B6 Beenzwaaien voorwaarts (10 x links en 10 x rechts).
10	B1 Enkels losdraaien (beide enkels 5 x rechts- en 5 x linksom). B4 Armen voorlangs zwaaien, variatie 2 (ongeveer 12 x). B6 Beenzwaaien schuin voorlangs (10 x links en 10 x rechts).
11	B1 Enkels losdraaien (beide enkels 5 x rechts- en 5 x linksom). B4 Armen voorlangs zwaaien, variatie 3 (ongeveer 12 x). B6 Beenzwaaien voorwaarts (12 x links en 12 x rechts).
12	B1 Enkels losdraaien (beide enkels 5 x rechts- en 5 x linksom). B4 Armen voorlangs zwaaien, variatie 2 (ongeveer 12 x). B6 Beenzwaaien schuin voorlangs (12 x links en 12 x rechts).

Warming-up week 9 t/m 12

B6 Beenzwaaien

Ga goed rechtop staan, met je voeten iets uit elkaar. Trek je rug een heel klein beetje hol en trek je buik in. Zwaai nu met één been ontspannen naar voren en naar achteren. Zorg ervoor dat je stevig rechtop kunt blijven staan. Als je te wild zwaait, lukt dit niet meer. Als je moeite hebt met het evenwicht, kun je je ergens aan vasthouden. Zorg er wel voor dat je nog steeds goed rechtop blijft staan.

Als variatie kun je ook schuin voorlangs zwaaien. Aan de voorkant gaat het rechterbeen iets naar links en aan de achterkant iets naar rechts (de buitenkant).

K6 Kleine loopsprongen

Door het maken van kleine sprongen word je sterker op een manier die goed is voor het hardlopen.

Bij loopsprongen doe je eigenlijk precies wat het woord zegt. Iedere pas is een klein sprongetje. Wel lekker pittig uitvoeren. Neem je armen goed mee en houd je rompspieren goed aangespannen. Het kan zijn dat je de loopsprongen in je rug of in je knieën voelt. Als je het in je rug voelt, kun je de loopsprongen beter niet meer doen. Als het een beetje ongemakkelijk in je knieën voelt en dat wordt na een paar keer niet beter, dan is deze oefening voor jou ook niet geschikt. De walking lunges (K7) zijn een alternatief.

Kracht- en techniekoefeningen
Ook hiervoor twee nieuwe oefeningen.

Week	Oefeningen
9	K5 Wandelcombinatie over 2 x 15 meter (30 sec. pauze). T1 Knieheffen tijdens het dribbelen, ongeveer 20 meter. T2 Skipping, goed rechtop over 2 x 15 meter (30 sec. pauze). K7 Walking lunges 3 x 4 stappen links en rechts (30 sec. pauze).
10	K5 Wandelcombinatie over 2 x 15 meter (30 sec. pauze). T1 Knieheffen tijdens het dribbelen, ongeveer 20 meter. T2 Skipping, schouders ontspannen over 2 x 15 meter (30 sec. pauze). K7 Walking lunges 3 x 4 stappen links en rechts (30 sec. pauze).
11	K5 Wandelcombinatie over 2 x 20 meter (30 sec. pauze). T1 Knieheffen tijdens het dribbelen, ongeveer 20 meter. T2 Skipping, actieve voetplaatsing over 2 x 15 meter (30 sec. pauze). K6 Kleine loopsprongen, 3 x 6 sprongen (30 sec. pauze).
12	K5 Wandelcombinatie over 2 x 20 meter (een minuut pauze). T1 Knieheffen tijdens het dribbelen, ongeveer 20 meter. T2 Skipping, goed rechtop over 2 x 15 meter (een minuut pauze). K6 Kleine loopsprongen, 3 x 6 sprongen (30 sec. pauze).

Krachtoefeningen week 9 t/m 12

K7 Walking lunges

Bij een lunge zet je één been een flink eind naar voren en buig je beide knieën. Je kunt dit op de afbeelding zien. Bij walking lunges, doe je een lunge en stap je door naar een volgende lunge. Je wandelt dus met heel grote en lage stappen.

Je moet op een paar dingen letten. De knie van het voorste been mag niet voorbij de voet komen. Bovendien moet je er wel voor zorgen dat de knie recht boven de voet blijft. De knie mag niet heen en weer wiebelen. Doe deze oefening altijd rustig.

T2 Skipping

De skipping dient ervoor om je looptechniek te verbeteren. Het zorgt ook voor sterkere voeten en benen.

De skipping lijkt op knieheffen, maar het voelt heel anders. Bij de skipping gaat het namelijk om het plaatsen van de voeten. Je zet je voeten steeds stevig precies onder je lichaam op de grond. Bij de skipping zijn de volgende dingen van belang:

Je moet je lijf goed rechtop houden. Buik en rugspieren aangespannen.

Je schouders moeten ontspannen (en laag) zijn.

Als je landt moeten je enkels stijf zijn. Je zakt niet door je voeten. Hierdoor heb je een actieve voetplaatsing.

Je kunt niet overal om denken. Let daarom tijdens de oefening steeds op één aspect.

Cooling-down

Na het hardlopen moeten meer spiergroepen gerekt worden. Deze vier weken voegen we weer een oefening toe: het rekken van de hamstrings.

Week	Oefeningen
9	B2 Armen hoog uitstrekken. R1 Buitenste kuitspieren rekken (2 x 20 seconden voor elk been). R2 Diepe kuitspieren rekken (2 x 20 seconden voor elk been). R3 Dijbeenspieren rekken (2 x 20 seconden voor elk been). R4 Hamstrings rekken (2 x 20 seconden voor elk been). B1 Enkels losdraaien (beide enkels 5 x links- en 5 x rechtsom).
10	B2 Armen hoog uitstrekken. R1 Buitenste kuitspieren rekken (2 x 20 seconden voor elk been). R2 Diepe kuitspieren rekken (2 x 20 seconden voor elk been). R3 Dijbeenspieren rekken (2 x 20 seconden voor elk been). R4 Hamstrings rekken (2 x 20 seconden voor elk been). B1 Enkels losdraaien (beide enkels 5 x links- en 5 x rechtsom).
11	B2 Armen hoog uitstrekken. R1 Buitenste kuitspieren rekken (2 x 20 seconden voor elk been). R2 Diepe kuitspieren rekken (2 x 20 seconden voor elk been). R3 Dijbeenspieren rekken (2 x 20 seconden voor elk been). R4 Hamstrings rekken (2 x 20 seconden voor elk been). B1 Enkels losdraaien (beide enkels 5 x links- en 5 x rechtsom).
12	B2 Armen hoog uitstrekken. R1 Buitenste kuitspieren rekken (2 x 20 seconden voor elk been). R2 Diepe kuitspieren rekken (2 x 20 seconden voor elk been). R3 Dijbeenspieren rekken (2 x 20 seconden voor elk been). R4 Hamstrings rekken (2 x 20 seconden voor elk been). B1 Enkels losdraaien (beide enkels 7 x links- en 7 x rechtsom).

Cooling-down week 9 t/m 12

Uitlopen

Tijdens het uitlopen ga je nu ook een paar keer dribbelen.

Week	Uitlopen
9	1 **W**, 3 x (1 **Dr**, 2 **W**)
10	1 **W**, 3 x (1 **Dr**, 2 **W**)
11	1 **W**, 4 x (1 **Dr**, 1 **W**)
12	1 **W**, 4 x (1 **Dr**, 1 **W**)

R4 Hamstrings rekken

De hamstrings zijn de spieren aan de achterkant van je bovenbenen. Je kunt ze staand en zittend rekken. De bovenste afbeelding laat zien hoe het staand kan. Leg je been op een verhoging en reik dan voorzichtig in de richting van je tenen. Overstrek je knie niet (de knie moet altijd licht gebogen blijven).

De onderste afbeelding laat zien hoe het zittend kan. Je rekt hier beide benen tegelijk. Vanuit een zittende stand reik je naar je voeten. Ook hierbij moeten de knieën licht gebogen blijven.

Eén training per week

De volgende tabel laat zien wat je kunt doen als je één keer per week traint.

Week	Dag	Loopkern	Tijd
9	1	4 x (2 **O**, 1 **W**), 2 x (3 **O**, 2 **W**)	22 min
10	1	3 x (2 **O**, 1 **W**), 2 x (3 **O**, 2 **W**), 2 **W**, 5 **O**, 2 **W**	28 min
11	1	3 x (2 **O**, 1 **W**), 2 x (3 **O**, 1 **W**), 2 **W**, 8 **O**, 2 **W**	29 min
12	1	De Coopertest (zie einde van het hoofdstuk)	20 min

Kern week 9 t/m 12 één training per week

In de onderstaande tabel kun je je gevoelsmatige score invullen.

Scores week 9 t/m 12 één training per week

Na iedere week kijk je of je met je score in het goede gebied zit. Zolang je in het OK-gebied zit, is alles OK. Als je in het TE-gebied zit, is het programma te zwaar. In het onderstaande schema vind je een advies voor het vervolg van de training.

Scoregebied	Advies
OK of daaronder	Lekker verdergaan met het programma.
1 x in het TE-gebied	Loop je misschien te snel? Als je erg snel loopt, dan wordt het programma te zwaar. Doe het in dit geval rustig aan. Als je niet te snel loopt, dan kun je het beste de training van deze week een keer opnieuw doen.
2 x achter elkaar in het TE-gebied	Vraag om advies bij een SMA of je huisarts.
Je hebt het zo moeilijk dat je het programma een paar keer niet hebt kunnen afmaken.	Vraag om advies bij een SMA of je huisarts.

Twee trainingen per week

Zorg er wel voor dat je niet op twee aaneengesloten dagen traint. En houd ook rekening met eventuele andere sporten die je beoefent.

Week	Dag	Loopkern	Tijd
9	1	4 x (2 **O**, 1 **W**), 2 x (3 **O**, 2 **W**)	22 min
	2	6 x (2 **Dr**, 1 **W**)	18 min
10	1	3 x (2 **O**, 1 **W**), 2 x (3 **O**, 2 **W**), 5 **O**, 2 **W**	26 min
	2	5 x (3 **Dr**, 1 **W**)	20 min
11	1	3 x (2 **O**, 1 **W**), 2 x (3 **O**, 1 **W**), 8 **O**, 2 **W**	27 min
	2	4 x (4 **Dr**, 1 **W**)	20 min
12	1	De Coopertest (zie einde van het hoofdstuk)	20 min
	2	4 x (3 **Dr**, 1 **W**)	16 min

Kern week 9 t/m 12 twee trainingen per week

De gevoelsscore kun je voor iedere training in de onderstaande tabel invullen. Doe dat steeds direct na de training. Aan het einde van een week tel je de scores van de twee trainingen bij elkaar en zet je het resultaat bij het totaal.

Week	Trainingsscore 1	2	Score totaal	Norm 2 4 6 8 10 12 14 16 18 20
9				OK TE
10				OK TE
11				OK TE
12				OK TE

Scores week 9 t/m 12 twee trainingen per week

Na iedere week kijk je of je met je score in het goede gebied zit. Zolang je in het OK-gebied zit, is alles OK. Als je in het TE-gebied zit, is het programma te zwaar.
Kijk in het schema op de vorige bladzijde voor een advies voor het vervolg van de trainingen.

Drie trainingen per week

Het derde schema is voor drie trainingen per week. Zorg
ook hierbij altijd voor een rustdag na iedere training.
Houd ook rekening met eventuele andere sporten.

Week	Dag	Loopkern	Tijd
9	1	4 x (2 **O**, 1 **W**), 2 x (3 **O**, 2 **W**)	22 min
	2	1 **Dr**, 1 **W**, 2 **Dr**, 1 **W**, 3 **Dr**, 1 **W**, 4 **Dr**, 1 **W**, 5 **Dr**, 1 **W**	20 min
	3	5 x (2 **Dr**, 1 **W**)	15 min
10	1	3 x (2 **O**, 1 **W**), 2 x (3 **O**, 2 **W**), 5 **O**, 2 **W**	26 min
	2	1 **Dr**, 1 **W**, 2 **Dr**, 1 **W**, 3 **Dr**, 1 **W**, 4 **Dr**, 1 **W**, 5 **Dr**, 1 **W**	20 min
	3	5 x (3 **Dr**, 1 **W**)	20 min
11	1	3 x (2 **O**, 1 **W**), 2 x (3 **O**, 1 **W**), 8 **O**, 2 **W**	27 min
	2	1 **Dr**, 1 **W**, 2 **Dr**, 1 **W**, 3 **Dr**, 1 **W**, 4 **Dr**, 1 **W**, 5 **Dr**, 1 **W**	20 min
	3	4 x (4 **Dr**, 1 **W**)	20 min
12	1	De Coopertest (zie einde van het hoofdstuk)	20 min
	2	1 **Dr**, 1 **W**, 2 **Dr**, 1 **W**, 3 **Dr**, 1 **W**, 4 **Dr**, 1 **W**, 5 **Dr**, 1 **W**	20 min
	3	4 x (3 **Dr**, 1 **W**)	16 min

Kern week 9 t/m 12 drie trainingen per week

Vul in de onderstaande tabel steeds na iedere training de
gevoelsscores in. Aan het einde van iedere week tel je ze
bij elkaar.

Week	Trainingsscore			Score	Norm		
	1	2	3	totaal	2 4 6 8 10 12 14 16 18 20 22 24 26 28 30		
9					OK		TE
10					OK		TE
11					OK		TE
12					OK		TE

Scores week 9 t/m 12 drie trainingen per week

Na iedere week kijk je of je met je score in het goede
gebied zit. Zolang je in het OK-gebied zit, is alles OK. Als
je in het TE-gebied zit, is het programma te zwaar.
In het schema van één training per week kun je advies
vinden voor het vervolg van je trainingen.

De Coopertest

De Coopertest is een eenvoudige manier om te zien hoe het met je conditie gesteld is. De test werkt heel simpel. Je probeert gedurende 12 minuten zo ver mogelijk te lopen. Hoe verder je loopt, des te beter je conditie is. In de onderstaande tabellen kun je vinden hoe je scoort ten opzichte van leeftijdsgenoten. Er is een tabel voor mannen en een tabel voor vrouwen. Stel je bent een vrouw van 33 jaar en je hebt 2300 meter gelopen, dan is je conditie **goed**.

tot 30	30-39	40-49	50 en ouder	
minder dan 1500 m	minder dan 1400 m	minder dan 1200 m	minder dan 1100 m	ver beneden gemiddeld
1500-1800 m	1400-1700 m	1200-1500 m	1100-1400 m	beneden gemiddeld
1800-2200 m	1700-2000 m	1500-1900 m	1400-1700 m	redelijk
2200-2700 m	2000-2500 m	1900-2300 m	1700-2200 m	goed
2700-3100 m	2500-2900 m	2300-2700 m	2200-2600 m	zeer goed
meer dan 3100 m	meer dan 2900 m	meer dan 2700 m	meer dan 2600 m	uitstekend

Coopertest Vrouwen

tot 30	30-39	40-49	50 en ouder	
minder dan 1600 m	minder dan 1500 m	minder dan 1400 m	minder dan 1300 m	ver beneden gemiddeld
1600-2000 m	1500-1900 m	1400-1700 m	1300-1600 m	beneden gemiddeld
2000-2400 m	1900-2300 m	1700-2100 m	1600-2000 m	redelijk
2400-2800 m	2300-2700 m	2100-2500 m	2000-2400 m	goed
2800-3200 m	2700-3100 m	2500-2900 m	2400-2800 m	zeer goed
meer dan 3200 m	meer dan 3100 m	meer dan 2900 m	meer dan 2800 m	uitstekend

Coopertest Mannen

Praktische uitvoering

Om de afstand te kunnen meten, moet je wel de beschikking hebben over een geschikt parcours. Het handigst is een atletiekbaan. Daar is normaal gesproken één ronde 400 meter lang. Je kunt ook ergens in het bos of bij je in de wijk een rondje proberen te meten (bijvoorbeeld met de kilometerteller op de fiets). Kies dan een niet al te lang rondje, anders is het weer moeilijk om te zien hoeveel meter je binnen het rondje hebt afgelegd. Ook een heel goede mogelijkheid is om over een provinciale weg met hectometerpaaltjes te lopen (op het fietspad).
En dan zijn er ook nog de high-tech mogelijkheden. Er zijn allerhande apparaten die met behulp van satellieten of door het analyseren van je stappen de afstand kunnen bepalen.

Goed verdelen

Met een gelijkmatige snelheid kom je het verst.

Je komt vaak het verst als je een gelijkmatig tempo loopt. Dat is helemaal niet gemakkelijk. Tijdens de Coopertest mag je ook best een stukje wandelen als je niet meer kunt hardlopen. Start in elk geval niet te snel.

Hoe gebruik je de uitslag van de Coopertest?

De Coopertest geeft feitelijk aan hoe je in vergelijking met je leeftijdsgenoten scoort. Als je ver beneden gemiddeld scoort, moet je bij jezelf nagaan of hardlopen wel iets voor jou is. Als je het schema goed kunt volgen en het hardlopen leuk vindt, is het duidelijk: lekker doorgaan. Als je het schema niet kunt volgen of je vindt het helemaal geen aangename bezigheid, moet je wellicht overwegen of sportief wandelen of Nordic Walking niet meer wat voor jou is.
De Coopertest is bovendien een eenvoudige manier om te zien of je hardloopconditie verbetert. Verderop in het jaarprogramma kom je hem nog vaker tegen.

Prestatielopen

Je hebt nu een aantal weken getraind. Misschien vind je het voldoende om gewoon lekker te lopen, maar misschien is het ook wel aardig om eens met een prestatieloop mee te doen. Misschien ligt je ambitie wel bij de marathon...

Prestatielopen zijn leuk. Gezellig met een flinke groep mensen een prestatie neerzetten. Het is ook een mooie gelegenheid om te kijken hoe goed je conditie is of hoe goed je als hardloper aan het worden bent. Beter en verder leren hardlopen is echter wel iets van de lange adem. Je lichaam heeft tijd nodig om aan langere afstanden en hogere snelheden te wennen. Daarom moet je niet te snel te veel en te vaak willen.

Doel voor je eerste hardloopjaar: een prestatieloop van 5 kilometer.

Aan het einde van je eerste hardloopjaar zou je eigenlijk niet verder moeten willen gaan dan prestatielopen van rond de 5 kilometer. We werken hier naartoe.

Na je tweede jaar kun je aan 10 kilometer gaan denken. De mensen met lange adem kunnen aan het einde van hun derde jaar aan een halve marathon gaan denken. Wacht met nadenken over een marathon tot je een jaar of vier lekker en blessurevrij hebt gelopen.

WEEK 13 T/M 16
MEER LOPEN

Je bent nu al weer een flinke poos bezig. De afgelopen twaalf weken heb je flink opgebouwd. In week 13 t/m 16 gaan we je nog een beetje meer laten doen. Net als in de vorige periode sluiten we af met een Coopertest. Hiermee kun je kijken of en hoeveel je beter bent gaan lopen. Aan het einde van dit hoofdstuk vind je nog allerlei ideeën om het lopen wat meer afwisselend te maken.

Inlopen

Het inlopen wordt steeds simpeler. Je gaat afwisselend
een stukje dribbelen en een stukje wandelen.

Week	Inlopen
13	5 x (1 **Dr**, 1 **W**)
14	5 x (1 **Dr**, 1 **W**)
15	5 x (1 **Dr**, 1 **W**)
16	5 x (1 **Dr**, 1 **W**)

Denk eraan dat het dribbelen heel rustig moet. Het
wandelen daarentegen mag stevig.

Warming-up

Er komt deze periode een nieuwe oefening bij voor het
losmaken van de heupen (B7).

Week	Oefeningen
13	B1 Enkels losdraaien (beide enkels 5 x rechts- en 5 x linksom). B4 Armen voorlangs zwaaien, variatie 1 (ongeveer 12 x). B7 Bovenbeen draaien (7 x rechts en 7 x links). B6 Beenzwaaien voorwaarts (10 x links en 10 x rechts).
14	B1 Enkels losdraaien (beide enkels 5 x rechts- en 5 x linksom). B4 Armen voorlangs zwaaien, variatie 2 (ongeveer 12 x). B7 Bovenbeen draaien (7 x rechts en 7 x links). B6 Beenzwaaien schuin voorlangs (10 x links en 10 x rechts).
15	B1 Enkels losdraaien (beide enkels 5 x rechts- en 5 x linksom). B4 Armen voorlangs zwaaien, variatie 3 (ongeveer 12 x). B7 Bovenbeen draaien (7 x rechts en 7 x links). B6 Beenzwaaien voorwaarts (12 x links en 12 x rechts).
16	B1 Enkels losdraaien (beide enkels 5 x rechts- en 5 x linksom). B4 Armen voorlangs zwaaien, variatie 2 (ongeveer 12 x). B7 Bovenbeen draaien (7 x rechts en 7 x links). B6 Beenzwaaien schuin voorlangs (12 x links en 12 x rechts).

Warming-up week 13 t/m 16

Kracht- en techniekoefeningen

Voor de kracht zijn er twee nieuwe oefeningen: zijwaartse
sprongen en schaatssprongen. Deze oefeningen trainen
de spieren aan de zijkanten en binnenkanten van je
benen. Hierdoor leer je om op verschillende soorten
ondergrond te lopen en wordt de kans op blessures
kleiner.

B7 Bovenbeen draaien

Bij deze oefening gaat het om de draaibeweging van het bovenbeen. Ga in een stabiele uitgangspositie staan en til dan de rechterknie op (recht voor het lichaam). Laat het onderbeen ontspannen hangen.
Draai dan rustig het bovenbeen naar buiten. Zet het been hierna rustig neer. Vervolg met het linkerbeen.
Bij wijze van variatie kun je ook opzij beginnen en het been van buiten naar binnen draaien.

K8 Zijwaartse sprongen

Deze oefening versterkt de spieren aan de binnen- en de buitenzijde van de benen.
De oefening bestaat uit zijwaartse sprongetjes waarbij er steeds een been voor het andere kruist.
Je kunt de oefening heel rustig doen. In dit geval is het meer een zijwaarts hupje.
Je kunt de oefening ook wat steviger doen. In dat geval maak je wat grotere sprongen en beweeg je de knie die voorlangs kruist wat fanatieker.

Week	Oefeningen
13	K5 Wandelcombinatie over 2 x 20 meter (30 seconden pauze). K7 Walking lunges over 2 x 10 meter (30 seconden pauze) T2 Skipping, goed rechtop over 2 x 15 meter (30 seconden pauze). K8 Zijwaartse sprongen, 2 x 10 meter, links en rechts (30 seconden pauze).
14	K5 Wandelcombinatie over 2 x 20 meter (30 seconden pauze). K7 Walking lunges over 2 x 10 meter (30 seconden pauze). T2 Skipping, schouders ontspannen over 2 x 15 meter (30 seconden pauze). K6 Kleine loopsprongen, 3 x 6 sprongen (30 seconden pauze). K8 Zijwaartse sprongen, 2 x 10 meter, links en rechts (30 seconden pauze).
15	K5 Wandelcombinatie over 2 x 20 meter (30 seconden pauze). T2 Skipping, actieve voetplaatsing over 2 x 15 meter (30 seconden pauze). K7 Walking lunges over 2 x 10 meter (30 seconden pauze). K4 Kleine, tweebenige sprongen, 2 x 10 sprongetjes (een minuut pauze). K9 Schaatssprongen, 3 x 4 sprongen (20 seconden pauze).
16	K5 Wandelcombinatie over 2 x 20 meter (een minuut pauze). T2 Skipping, goed rechtop over 2 x 15 meter (een minuut pauze). K7 Walking lunges over 2 x 10 meter (30 seconden pauze). K4 Kleine, tweebenige sprongen, 2 x 10 sprongetjes (een minuut pauze). K9 Schaatssprongen, 3 x 4 sprongen (20 seconden pauze).

Krachtoefeningen week 13 t/m 16

Cooling-down

De cooling-down is nu uitgebreid met twee extra rek-oefeningen. Als het erg koud is, loop je het risico dat je door al deze rustige oefeningen wat te snel afkoelt. Je kunt dit op een aantal manieren oplossen:

- na iedere rekoefening weer een stukje dribbelen
- wachten met de rekoefeningen totdat je op een warme of beschutte plek bent. In dit geval loop je eerst uit.

K9 Schaatssprongen

Maak lopend afwisselend sprongetjes naar links en naar rechts. Buig iets voorover terwijl je dit doet. Hierdoor lijkt het op schaatsen. Vandaar: 'schaatssprongen'.
Dit is een zware oefening. Je kunt hem lichter maken door niet te ver naar links en naar rechts te springen. Hij wordt ook lichter door meer rechtop te blijven.
Je mag zelf weten of je de armen op de rug houdt.

R5 Binnenzijde benen rekken

Begin in een vrij grote spreidstand. Buig dan je linkerknie terwijl je het rechterbeen gestrekt houdt. De voeten blijven plat op de grond. Je kunt zoals de afbeelding laat zien op je linkerbeen steunen.
Houd deze positie ongeveer 20 tellen vast. Kom hierna weer overeind en doe hetzelfde met het andere been.
Je rekt met deze oefening de binnenzijde van je benen.

Week	Oefeningen
13	B2 Armen hoog uitstrekken. R1 Buitenste kuitspieren rekken (2 x 20 seconden voor elk been). R2 Diepe kuitspieren rekken (2 x 20 seconden voor elk been). R3 Dijbeenspieren rekken (2 x 20 seconden voor elk been). R4 Hamstrings rekken (2 x 20 seconden voor elk been). R5 Binnenzijde benen rekken (2 x 20 seconden voor elk been). R6 Voorzijde heup rekken (2 x 20 seconden voor elk been). B1 Enkels losdraaien (beide enkels 5 x links- en 5 x rechtsom).
14	B2 Armen hoog uitstrekken. R1 Buitenste kuitspieren rekken (2 x 20 seconden voor elk been). R2 Diepe kuitspieren rekken (2 x 20 seconden voor elk been). R3 Dijbeenspieren rekken (2 x 20 seconden voor elk been). R4 Hamstrings rekken (2 x 20 seconden voor elk been). R5 Binnenzijde benen rekken (2 x 20 seconden voor elk been). R6 Voorzijde heup rekken (2 x 20 seconden voor elk been). B1 Enkels losdraaien (beide enkels 5 x links- en 5 x rechtsom).
15	B2 Armen hoog uitstrekken. R1 Buitenste kuitspieren rekken (2 x 20 seconden voor elk been). R2 Diepe kuitspieren rekken (2 x 20 seconden voor elk been). R3 Dijbeenspieren rekken (2 x 20 seconden voor elk been). R4 Hamstrings rekken (2 x 20 seconden voor elk been). R5 Binnenzijde benen rekken (2 x 20 seconden voor elk been). R6 Voorzijde heup rekken (2 x 20 seconden voor elk been). B1 Enkels losdraaien (beide enkels 5 x links- en 5 x rechtsom).
16	B2 Armen hoog uitstrekken. R1 Buitenste kuitspieren rekken (2 x 20 seconden voor elk been). R2 Diepe kuitspieren rekken (2 x 20 seconden voor elk been). R3 Dijbeenspieren rekken (2 x 20 seconden voor elk been). R4 Hamstrings rekken (2 x 20 seconden voor elk been). R5 Binnenzijde benen rekken (2 x 20 seconden voor elk been). R6 Voorzijde heup rekken (2 x 20 seconden voor elk been). B1 Enkels losdraaien (beide enkels 7 x links- en 7 x rechtsom).

Cooling-down week 13 t/m 16

Uitlopen

Net als het inlopen, wordt het uitlopen ook steeds simpeler.

Week	Uitlopen
13	1 **W**, 4 x (1 **Dr**, 1 **W**)
14	1 **W**, 4 x (1 **Dr**, 1 **W**)
15	1 **W**, 4 x (1 **Dr**, 1 **W**)
16	1 **W**, 4 x (1 **Dr**, 1 **W**)

Net als bij het inlopen, moet het dribbelen rustig zijn, maar het wandelen mag geen slenteren worden.

R6 Voorzijde heup rekken

Maak een grote uitvalspas.
Houd je romp rechtop of
iets achterover. Als je goed
staat, zak dan nog iets verder
door beide benen. Je kunt
nu spanning voelen aan de
voorkant van het been dat
achter staat (op de afbeelding
het rechterbeen).
Je rekt hiermee de spieren die
je knie heffen.

Eén training per week

De volgende tabel laat zien wat je kunt doen als je één keer per week traint.

Week	Dag	Loopkern	Tijd
13	1	2 x (2 **O**, 1 **W**), 2 x (3 **O**, 1 **W**), 2 x (4 **O**, 2 **W**)	26 min
14	1	2 x (2 **O**, 1 **W**), 2 x (6 **O**, 2 **W**), 2 x (2 **O**, 1 **W**)	28 min
15	1	2 x (2 **O**, 1 **W**), 2 x (4 **O**, 1 **W**), 1 **W**, 12 **O**, 2 **W**	31 min
16	1	De Coopertest (zie vorige hoofdstuk)	20 min

Kern week 13 t/m 16 één training per week

In de onderstaande tabel kun je je gevoelsmatige score invullen.

Week	Score	Norm 1 2 3 4 5 6 7 8 9 10
13		OK TE
14		OK TE
15		OK TE
16		OK

Scores week 13 t/m16 één training per week

Na iedere week kijk je of je met je score in het goede gebied zit. Zolang je in het OK-gebied zit, is alles OK. Als je in het TE-gebied zit, is het programma nog te zwaar. In het onderstaande schema vind je een advies voor het vervolg van de training.

Scoregebied	Advies
OK of daaronder	Lekker verdergaan met het programma.
1 x in het TE-gebied	Loop je misschien te snel? Als je erg snel loopt, dan wordt het programma te zwaar. Doe het in dit geval rustig aan. Als je niet te snel loopt, dan kun je het beste de training van deze week een keer opnieuw doen.
2 x achter elkaar in het TE-gebied	Vraag om advies bij een SMA of je huisarts.
Je hebt het zo moeilijk dat je het programma een paar keer niet hebt kunnen afmaken.	Vraag om advies bij een SMA of je huisarts.

Twee trainingen per week

Zorg ervoor dat je niet op twee aaneengesloten dagen traint. Houd ook rekening met eventuele andere sporten die je beoefent.

Week	Dag	Loopkern	Tijd
13	1	2 x (2 **O**, 1 **W**), 2 x (3 **O**, 1 **W**), 2 x (4 **O**, 2 **W**)	26 min
	2	5 x (3 **Dr**, 1 **W**)	20 min
14	1	2 x (2 **O**, 1 **W**), 2 x (6 **O**, 2 **W**), 2 x (2 **O**, 1 **W**)	28 min
	2	7 x (2 **Dr**, 1 **W**)	21 min
15	1	2 x (2 **O**, 1 **W**), 2 x (4 **O** , 1 **W**), 1 **W**, 12 **O**, 2 **W**	31 min
	2	3 x (6 **Dr**, 2 **W**)	24 min
16	1	De Coopertest (zie vorige hoofdstuk)	20 min
	2	6 x (2 **Dr**, 1 **W**)	18 min

Kern week 13 t/m 16 twee trainingen per week

De gevoelsmatige score kun je bij iedere training in de onderstaande tabel invullen. Doe dat steeds direct na de training. Aan het einde van een week tel je de scores van de twee trainingen bij elkaar en zet je het resultaat bij het totaal.

Week	Trainingsscore 1	Trainingsscore 2	Score totaal	Norm 2 4 6 8 10 12 14 16 18 20
13				OK TE
14				OK TE
15				OK TE
16				OK TE

Scores week 13 t/m 16 twee trainingen per week

Na iedere week kijk je of je met je score in het goede gebied zit. Zolang je in het OK-gebied zit, is alles OK. Als je in het TE-gebied zit, dan is het programma nog te zwaar.
In het schema op de vorige bladzijde (bij één training per week) vind je advies over het vervolg van je training.

Drie trainingen per week

Het derde schema is voor drie trainingen per week. Zorg
ook hierbij altijd voor een rustdag na iedere training.
Houd ook rekening met andere sporten.

Week	Dag	Loopkern	Tijd
13	1	2 x (2 **O**, 1 **W**), 2 x (3 **O**, 1 **W**), 2 x (4 **O**, 2 **W**)	26 min
	2	2 **O**, 1 **W**, 3 **O**, 1 **W**, 4 **O**, 1 **W**, 3 **O**, 1 **W**, 2 **O**, 1 **W**	19 min
	3	4 x (3 **Dr**, 1 **W**)	16 min
14	1	2 x (2 **O**, 1 **W**), 2 x (6 **O**, 2 **W**), 2 x (2 **O**, 1 **W**)	28 min
	2	2 **O**, 1 **W**, 3 **O**, 1 **W**, 5 **O**, 1 **W**, 3 **O**, 1 **W**, 2 **O**, 1 **W**	20 min
	3	5 x (3 **Dr**, 1 **W**)	20 min
15	1	2 x (2 **O**, 1 **W**), 2 x (4 **O**, 1 **W**), 1 **W**, 12 **O**, 2 **W**	31 min
	2	2 **O**, 1 **W**, 3 **O**, 1 **W**, 5 **O**, 1 **W**, 3 **O**, 1 **W**, 2 **O**, 1 **W**	20 min
	3	3 x (6 **Dr**, 2 **W**)	24 min
16	1	De Coopertest (zie vorige hoofdstuk)	20 min
	2	2 **O**, 1 **W**, 3 **O**, 1 **W**, 4 **O**, 1 **W**, 3 **O**, 1 **W**, 2 **O**, 1 **W**	19 min
	3	6 x (2 **Dr**, 1 **W**)	18 min

Kern week 13 t/m 16 drie trainingen per week

Vul in de onderstaande tabel steeds na iedere training de
gevoelsscores in. Aan het einde van iedere week tel je ze
bij elkaar.

Week	Trainingsscore 1 2 3	Score totaal	Norm 2 4 6 8 10 12 14 16 18 20 22 24 26 28 30
13			OK TE
14			OK TE
15			OK TE
16			OK TE

Scores week 13 t/m 16 drie trainingen per week

Na iedere week kijk je of je met je score in het goede
gebied zit. Zolang je in het OK-gebied zit, is alles OK. Als
je in het TE-gebied zit, is het programma nog te zwaar.
In het schema van één training per week kun je advies
vinden voor het vervolg van je trainingen.

De Coopertest

Vergelijk je resultaat met de Coopertest uit de vorige periode.

Net als aan het einde van de vorige periode doe je een Coopertest. Voor een beschrijving en de uitslagen kun je in het vorige hoofdstuk kijken. Deze tweede Coopertest is er vooral voor om te zien of je vooruit bent gegaan. Als je een grotere afstand hebt gelopen dan de vorige keer, is alles dik in orde.

Als je minder hebt gelopen, moet je proberen te achterhalen waarom dat zo is.

Denk daarbij aan de volgende mogelijkheden.

- Je was moe toen je met de test begon.
- De weersomstandigheden waren niet goed: het was warm of het waaide hard.
- Het ging de laatste tijd met het hardlopen eigenlijk niet zo goed.
- Je voelde je niet zo gemotiveerd om er hard tegenaan te gaan.
- Je had net een drukke dag achter de rug.

Er zijn veel factoren die een prestatie beïnvloeden. Maar, als je iets minder scoorde is er geen reden tot zorg. Iedereen heeft wel eens een wat slechtere dag.

Wat je wel kunt doen na een slechtere score, is even terugkijken naar je gevoelsscores van de afgelopen weken. Als deze aangeven dat het steeds zwaarder wordt, dan is het verstanding om iets rustiger te trainen.

Afwisseling

Varieer je training!

Naarmate je meer gaat lopen is het steeds belangrijker om te variëren. Variëren is goed voor de geest, maar het is ook goed voor het lichaam. Je kunt op heel veel manieren variëren.

- Varieer de looproute.
  Je kunt natuurlijk steeds verschillende routes proberen te lopen, maar je vertrouwde route in omgekeerde volgorde is ook al een variatie.
- Varieer de ondergrond waarop je loopt.
  Bosgrond is voor veel mensen het lekkerst, maar gras is ook goed. Kasseien zijn heel hard en deze kun je dan ook beter vermijden. Af en toe eens wat asfalt is zeker niet slecht.
- Varieer de tijd van de dag waarop je loopt.
  Loop natuurlijk wel op een tijdstip dat je goed uitkomt en prettig is. Forceer je niet om bij het krieken van de dag te lopen als je een extreem avondmens bent.
- Loop met een vriend(in) of collega.

Samen is het leuker. Je kunt ook mooi samen oefeningen doen. Als je met z'n tweeën bent, loop dan bijvoorbeeld afwisselend voorop.

- Zet een muziekje op je hoofd.
  Zet het echter niet te hard, als je contact met je omgeving wilt houden.
- Loop af en toe op een route met flauwe hellingen (niet steil).
  Dit kun je ook op een klein rondje doen.

JE EIGEN TRAINING PLANNEN

6

Voor de eerste zestien weken van je training hebben we alles in detail voor je uitgewerkt. Dit is handig, omdat je zo een verantwoord schema hebt kunnen volgen. Maar om je als individuele loper verder te ontwikkelen is het belangrijk dat je doet wat voor jou het meest geschikt is. De rest van het jaar zul je steeds meer de details van je loopschema zelf gaan bepalen. Ook het inlopen, de warming-up, de kracht- en techniektraining en de cooling-down kun je meer naar je eigen gevoel inrichten. In dit tussenhoofdstuk leer je hoe je dat kunt doen. In de volgende hoofdstukken wordt dan alleen de kern van de training besproken. Wel voegen we verderop nog wat extra oefenstof toe.

Inlopen

Het inlopen heeft tot doel het lichaam op werk-temperatuur te brengen. Zolang je lichaam niet voldoende op temperatuur is, ben je gevoeliger voor blessures. Je begint koud. Je moet dus altijd heel rustig beginnen. Sommige mensen hebben moeite om op gang te komen. Doe het altijd rustig. De onderstaande tabel geeft een aantal mogelijkheden. Experimenteer er gerust mee en zoek uit wat voor jou het prettigst is.

Weertype	Inlopen
Normaal	6 x (1 **Dr**, 1 **W**)
	1 **Dr**, 1 **W**, 1 **Dr**, 1 **W**, 2 **Dr**, 1 **W**, 3 **Dr**, 1 **W**
	12 **Dr** (heel rustig beginnen)
Koud	7 x (1 **Dr**, 1/2 **W**)
	12 **Dr** (heel rustig beginnen)
Warm	3 x (1 **Dr**, 2 **W**), 3 x (1 **Dr**, 1 **W**)

Warming-up

Bij de oefeningen voor de warming-up moet je ervoor zorgen dat zowel je bovenlichaam als je benen en voeten even goed aan bod komen. Hierna volgen twee mogelijke setjes van oefeningen voor de beweeglijkheid. Kies er steeds een voor je training. Je mag natuurlijk ook zelf variëren en oefeningen toevoegen. Zorg er wel voor dat je de oefeningen lekker ontspannen uitvoert: niets forceren dus.

Mogelijkheid 1	Mogelijkheid 2
B1 Enkels losdraaien	B1 Enkels losdraaien
B2 Armen hoog uitstrekken	B2 Armen hoog uitstrekken
B4 Armen voorlangs zwaaien	B5 Uitstrekken op de tenen
B6 Beenzwaaien	B7 Bovenbeen draaien

Kracht- en techniektraining

Kracht en techniek trainen is ingewikkeld. Het beste train je dit onder begeleiding. Maar als je het programma van dit boek volgt, doe je het al veel beter dan de overgrote meerderheid van de hardlopers.

Om de kracht- en techniektraining overzichtelijk te maken, hebben we dit in vier soorten ingedeeld.

- Breed (training met een beetje van alles)
- Kracht (training met de nadruk op kracht)
- Explosieve kracht (nadruk op explosieve kracht)
- Techniek (nadruk op looptechniek)

Verderop vind je voor deze typen training een aantal combinaties van oefeningen.

Vanaf week 17 is het schema steeds verdeeld in blokken van twaalf weken. Voor elk van de twaalf wekelijkse periodes kun je hetzelfde stramien volgen.

Week in periode	1ste training	2de training	3de training
1	Breed	Techniek	Breed
2	Breed	Techniek	Breed
3	Breed	Techniek	Breed
4	Kracht	Breed	Techniek
5	Kracht	Breed	Techniek
6	Kracht	Breed	Techniek
7	Explosieve kracht	Techniek	Breed
8	Explosieve kracht	Techniek	Breed
9	Explosieve kracht	Techniek	Breed
10	Techniek	Explosieve kracht	Breed
11	Techniek	Breed	Breed
12	Techniek	Breed	Breed

Kracht en Techniek in een 12-weekse periode

De onderstaande tabel laat oefeningencombinaties zien
voor de typen training uit de vorige tabel.

Type	Oefeningen
Breed	K1 voeten afwikkelen K2 rug uitstrekken tijdens het wandelen K5 Wandelcombinatie T1 Knieheffen tijdens het dribbelen K4 Kleine tweebenige sprongen
Kracht	K4 Kleine tweebenige sprongen T1 Knieheffen tijdens het dribbelen K7 Walking lunges
Explosieve kracht	K6 Kleine loopsprongen K8 Zijwaartse sprongen K9 Schaatssprongen
Techniek	T1 Knieheffen tijdens het dribbelen T2 Skipping

Oefeningencombinaties

Cooling-down

De cooling-down bestaat steeds uit een stel losmaakoefeningen, gevolgd door rekoefeningen voor de
belangrijkste spieren.

Weertype	Oefeningen
aangenaam, niet koud	B2 Armen hoog uitstrekken. R1 Buitenste kuitspieren rekken (2 x 20 seconden voor elk been). R2 Diepe kuitspieren rekken (2 x 20 seconden voor elk been). R3 Dijbeenspieren rekken (2 x 20 seconden voor elk been). R4 Hamstrings rekken (2 x 20 seconden voor elk been). R5 Binnenzijde benen rekken (2 x 20 seconden voor elk been). R6 Voorzijde heup rekken (2 x 20 seconden voor elk been). B1 Enkels losdraaien (beide enkels 6 x links- en 6 x rechtsom).
koud en/ of nat, oefeningen buiten.	B2 Armen hoog uitstrekken. R1 Buitenste kuitspieren rekken (1 x 20 seconden voor elk been). R2 Diepe kuitspieren rekken (2 x 20 seconden voor elk been). 30 - 60 seconden Dribbelen R3 Dijbeenspieren rekken (2 x 20 seconden voor elk been). R4 Hamstrings rekken (2 x 20 seconden voor elk been). 30 - 60 seconden Dribbelen R5 Binnenzijde benen rekken (2 x 20 seconden voor elk been). R6 Voorzijde heup rekken (2 x 20 seconden voor elk been). B1 Enkels losdraaien (beide enkels 6 x links- en 6 x rechtsom).

Cooling-down bij verschillende weersomstandigheden

Uitlopen

Tot nu toe hebben we steeds aangegeven hoe je het beste kunt uitlopen. Het wordt nu tijd om uit te vinden wat je zelf het prettigst vindt. Houd in elk geval rekening met de volgende zaken.

- Loop heel rustig uit.
- Kies een gemakkelijke ondergrond.

De onderstaande tabel laat een aantal mogelijkheden zien. Experimenteer gerust.

Soort training	Uitlopen
korte rustige training	5 x (1 **Dr**, 1 **W**)
	6 **Dr**
lange rustige training	3 **Dr**, 1 **W**, 2 **Dr**, 1 **W**, 1 **Dr**, 1 **W**, 1 **Dr**, 1 **W**
	8 **Dr**
korte intensieve training	7 x (1 **Dr**, 1 **W**)
	4 **Dr**, 4 x (1 **Dr**, 1 **W**)
lange intensieve training of prestatieloop	8 x (1 **Dr**, 1 **W**)
	5 **Dr**, 4 x (1 **Dr**, 1 **W**)

Uitlopen bij verschillende trainingen

De loopkern van de training

We gaan ervan uit dat je doorgaat met het aantal trainingen dat je tot nu toe per week hebt gedaan. We voegen er vanaf nu echter een dimensie aan toe. Je kunt een normaal of een programma voor snellere lopers volgen.

Met behulp van de volgende tabel kun je beslissen welk programma voor jou geschikt is.

Geslacht	Leeftijd	Coopertest	Trainingen per week	Advies
vrouw	jonger dan 50	2300 meter of meer	2 of 3 keer	Vlot
			1 keer	Standaard
		minder dan 2300 meter	1, 2 of 3 keer	Standaard
	50 en ouder	1200 meter of meer	1, 2 of 3 keer	Standaard
		minder dan 1200 meter	1, 2 of 3 keer	Overweeg om over te stappen op wandelen als trainingsvorm
man	jonger dan 50	2400 meter of meer	2 of 3 keer	Vlot
			1 keer	Standaard
		minder dan 2400 meter	1, 2 of 3 keer	Standaard
	50 en ouder	1300 meter of meer	1, 2 of 3 keer	Standaard
		minder dan 1300 meter	1, 2 of 3 keer	Overweeg om over te stappen op wandelen als trainingsvorm

Gebruik de tabel van links naar rechts. Ben je bijvoorbeeld een vrouw van 36 en heb je in de Coopertest 2500 meter gelopen, terwijl je twee keer per week traint, dan is het vlotte schema geschikt voor jou.
Nog een voorbeeld: man, 48, Coopertest 2300 meter, drie trainingen per week, dan is het standaardschema geschikt.
In de volgende hoofdstukken geven we alleen de kern aan. Dit doen we met de volgende symbolen.

Standaardprogramma één training per week	
Standaardprogramma twee trainingen per week	
Standaardprogramma drie trainingen per week	
Vlot programma twee trainingen per week	
Vlot programma drie trainingen per week	

De grove planning voor de rest van het jaar

De rest van het eerste jaar verdelen we in drie perioden van twaalf weken. Aan het einde van iedere twaalf weken is het tijd voor een testloop. We geven steeds een advies wat een goed type testloop is. Meestal zal dit een prestatieloop zijn. Je moet zelf een geschikte loop uitzoeken.

Je bent al in de zeventiende week aangekomen en je kunt steeds langer lopen. Nu is echter ook het moment gekomen om voorzichtig te zijn. Niet te veel doen, anders gooi je alle winst weer weg. Dit hoofdstuk is een combinatie van strakke schema's en het leren luisteren naar je lichaam. We beginnen met je een aantal oefeningen aan te reiken om je lichaam beter te leren kennen en om je te leren ontspannen.

Deze twaalf weken voeren naar je eerste prestatieloop. Je hoeft natuurlijk geen prestatieloop te doen, maar veel hardlopers vinden het leuk. Aan het einde van dit hoofdstuk vind je wat adviezen voor de keuze van een prestatieloop.

Oefeningen voor ontspanning en ademhaling

In dit hoofdstuk zitten drie oefeningen voor de ontspanning en de ademhaling. Deze oefeningen helpen je om even stil te staan bij je lichaam en om te onthaasten. Deze oefeningen kunnen het beste halverwege het inlopen worden gedaan. Bij de schema's vind je een paar voorbeelden van een volledige training inclusief deze oefeningen.

01 Lichaamsbewustzijn

Neem tijdens het inlopen een moment om waar te nemen hoe je lichaam aanvoelt. Sta halverwege het inlopen op een geschikte plaats stil. Sluit je aandacht af van de omgeving en richt hem op je eigen lichaam. Wat voel je allemaal? Ben je al lekker warm? Waar ben je vooral warm? Waar voel je jezelf nog koud? Voel je misschien pijntjes? Hoe hevig zijn die pijntjes? Voel je verschillen tussen links en rechts? Voel je verschil in spanning in je lichaam? Voel je je hart kloppen? Voel je je ademhaling gaan? Misschien neem je nog andere dingen waar. Ga dan met je aandacht naar je voeten en verleg de aandacht langzaam omhoog totdat je bij je hoofd bent. Richt je aandacht weer op je omgeving en vervolg na wat wandelen het inlopen. Hoe gaat dit? Voel je verschil?

Deze oefening maakt je bewust van wat er in je lichaam kan spelen: spanning, onrust en pijn, maar ook gewone dingen als een snellere ademhaling en hartslag of een warm en vitaal gevoel van kracht. Het geeft informatie die je kunt gebruiken om te beslissen of je wel zo hard en ver kunt lopen als je van plan was. Bovendien helpt het je hoofd leeg te maken na andere bezigheden en het is daarmee een goede voorbereiding op de training.

02 Ademhaling

Halverwege het inlopen stop je op een rustige plek. Richt je aandacht op je ademhaling. Ademhalen gaat vanzelf, dus volg je ademhaling en probeer er zeker niets aan te veranderen. Ga stevig op beide benen staan, met de knieën licht gebogen en je armen losjes langs het lichaam. Richt je aandacht op de ademhaling en voel hoe de lucht naar binnen stroomt door de neus en naar de longen in de borst gaat. Je voelt de borst omhoog komen en weer dalen bij de uitademing. De lucht blaas je via de mond uit. Het is beter zo lang mogelijk via de neus in te ademen, maar tijdens het hardlopen is dit bijna onmogelijk.

Als je je ademhaling een poosje gevolgd hebt, beweeg je je armen mee met de ademhaling. Zijwaarts omhoog terwijl je inademt. Terug tijdens het uitademen.

Volg de ademhaling en regel de ademhaling niet bewust. Ervaar het vanzelfsprekende van dit proces en voel de ontspanning tijdens de uitademing.

Deze oefening laat je eens stilstaan bij het ademhalingsproces dat zo'n essentieel onderdeel is bij hardlopen en eigenlijk altijd helemaal automatisch gaat. Het helpt ook om het hoofd even helemaal leeg te maken, waardoor je ontspannen met hardlopen kunt starten.

03 Ontspanning

Neem halverwege het inlopen even de tijd voor een ontspannings-
oefening voordat je aan de verdere training begint. Kies hiervoor een
rustige en beschutte plek.
Sta met je gewicht goed verdeeld over beide voeten. Controleer of je
werkelijk zo staat door je gewicht een paar keer van links naar rechts te
verplaatsen. Houd je knieën heel licht gebogen en strek je rug. Trek je
schouders hoog op naar je oren. Hou ze even daar en voel de spanning
in je schouders, laat ze dan in een vloeiende beweging helemaal
zakken. Dit herhaal je drie keer. Schud dan je armen lekker uit terwijl je
voorovergebogen gaat staan. Draai je schouders nog eens vijf keer naar
achteren en ga dan rustig verder met inlopen. Voel terwijl je loopt hoe de
schouders nu losser blijven tijdens het lopen.
Deze oefening zorgt ervoor dat je niet met onnodige spanning in je nek
en schouders gaat lopen.

Standaardschema, één keer trainen

Week	Kern	Duur
17	2 O, 1 W, 3 O, 1 W, 4 O, 1 W, 5 O, 1 W, 6 O, 1 W	25 min
18	2 x (2 O, 1 W), 3 x (5 O, 2 W)	27 min
19	3 x (2 O, 1 W), 2 x (10 O, 2 W)	33 min
20	1 O, 1 W, 2 O, 1 W, 3 O, 1 W, 4 O, 1 W, 3 O, 1 W, 2 O, 1 W, 1 O, 1 W	23 min
21	3 x (2 O, 1 W), 2 x (8 O, 2 W)	29 min
22	3 x (2 O, 1 W), 3 x (6 O, 2 W)	33 min
23	2 x (2 O, 1 W), 2 x (12 O, 2 W)	34 min
24	1 O, 1 W, 2 O, 1 W, 3 O, 1 W, 4 O, 1 W, 5 O, 1 W, 6 O, 1 W	27 min
25	2 x (2 O, 1 W), 3 x (7 O, 2 W)	33 min
26	3 x (2 O, 1 W), 20 O, 2 W	31 min
27	2 x (2 O, 1 W), 3 x (8 O, 2 W)	36 min
28	Prestatieloop 5 km	25-50 min

Kern week 17 t/m 28 één training per week

Aan het einde van dit hoofdstuk vind je adviezen over het uitzoeken en lopen van een prestatieloop.
Overigens, wanneer je geen officiële prestatieloop doet, kun je ook zelf een parcours van 5 km uitzoeken of proberen een half uur achter elkaar te lopen. Het is een leuke uitdaging en zeker geen schande als dit niet lukt.

Hieronder kun je weer de gevoelsscore invullen en controleren.

Week	Score	Norm 1 2 3 4 5 6 7 8 9 10
17		OK TE
18		OK TE
19		OK TE
20		OK TE
21		OK TE
22		OK TE
23		OK TE
24		OK TE
25		OK TE
26		OK TE
27		OK TE
28		OK

Scores week 17 t/m 28 één training per week, standaardprogramma

Meer dan één keer per week trainen?

Als je nu één keer per week traint, dan is er een aantal mogelijkheden om naar twee keer per week te gaan. Je kunt dit na week 20, 24 of 28 doen. Dat gaat als volgt.

Week van overstap	Nieuw schema	Startweek nieuw schema
21 (na 20)		17
25 (na 24)		21
29 (na 28)		21 (week 24 is geen geschikte week om over te stappen)

Standaardschema, twee keer trainen

Week	Dag	Kern	Duur
17	1	6 O, 2 W, 5 O, 2 W, 4 O, 2 W, 3 O, 2 W, 2 O, 2 W	30 min
	2	4 x (4 O, 1 W)	20 min
18	1	9 x (2 O, 1 W)	27 min
	2	3 x (5 O, 2 W)	21 min
19	1	2 x (2 O, 1 W), 3 x (5 O, 2 W), 2 x (1 O, 1 W)	31 min
	2	2 x (8 Dr, 2 W)	20 min
20	1	6 O, 2 W, 5 O, 2 W, 4 O, 2 W, 3 O, 2 W, 2 O, 2 W	30 min
	2	5 x (3 O, 1 W)	20 min
21	1	9 x (2 O, 1 W)	27 min
	2	3 x (5 O, 2 W)	21 min
22	1	2 x (2 O, 1 W), 3 x (5 O, 2 W), 2 x (2 O, 1 W)	33 min
	2	2 x (10 Dr, 2 W)	24 min
23	1	2 x (2 O, 1 W), 3 x (6 O, 2 W)	30 min
	2	4 x (4 O, 2 W)	24 min
24	1	9 x (2 O, 1 W)	27 min
	2	3 x (5 O, 2 W)	21 min
25	1	7 O, 2 W, 6 O, 2 W, 5 O, 2 W, 4 O, 2 W, 3 O, 2 W	35 min
	2	6 x (3 O, 1 W)	24 min
26	1	2 x (2 O, 1 W), 3 x (7 O, 2 W)	33 min
	2	20 Dr, 2 W	22 min
27	1	9 x (2 O, 1 W)	27 min
	2	6 x (2 O, 1 W)	18 min
28	1	Prestatieloop 5 km	25-50 min
	2	8 x (1 O, 1 W)	16 min

Kern week 17 t/m 28 twee trainingen per week, standaardprogramma

Opmerkingen
- Als je volgens het schema lang achter elkaar moet lopen (zoals in week 26), mag je gewoon een stukje wandelen zodra het echt te zwaar wordt. Niet doorduwen als het heel moeilijk wordt.
- Achter in dit hoofdstuk staat informatie over het doen van de prestatieloop.

In de onderstaande tabel kun je je scores weer invullen en controleren.

Week	Trainingsscore 1	2	Score totaal	Norm 2 4 6 8 10 12 14 16 18 20
17				OK TE
18				OK TE
19				OK TE
20				OK TE
21				OK TE
22				OK TE
23				OK TE
24				OK TE
25				OK TE
26				OK TE
27				OK TE
28				OK TE

Scores week 17 t/m 28 twee trainingen per week, standaardprogramma

Standaardschema, drie keer trainen

Week	Dag	Kern	Duur
17	1	3 x (2 **O**, 1 **W**), 2 x (8 **O**, 2 **W**)	29 min
	2	10 x (1 **O**, 1 **W**)	20 min
	3	2 x (8 **Dr**, 2 **W**)	20 min
18	1	2 x (2 **O**, 1 **W**), 3 x (7 **O**, 2 **W**)	33 min
	2	10 x (1 **O**, 1 **W**)	20 min
	3	3 x (7 **Dr**, 2 **W**)	27 min
19	1	3 x (2 **O**, 1 **W**), 2 x (10 **O**, 2 **W**)	33 min
	2	10 x (1 **O**, 1 **W**)	20 min
	3	2 x (8 **Dr**, 2 **W**)	20 min
20	1	4 x (5 **O**, 2 **W**)	28 min
	2	6 x (2 **O**, 1 **W**)	18 min
	3	3 x (6 **Dr**, 2 **W**)	24 min
21	1	3 x (2 **O**, 1 **W**), 2 x (10 **O**, 2 **W**)	33 min
	2	10 x (1 **O**, 1 **W**)	20 min
	3	2 x (10 **Dr**, 2 **W**)	24 min
22	1	2 x (2 **O**, 1 **W**), 3 x (7 **O**, 2 **W**)	33 min
	2	10 x (1 **O**, 1 **W**)	20 min
	3	3 x (7 **Dr**, 2 **W**)	27 min
23	1	2 x (2 **O**, 1 **W**), 2 x (12 **O**, 2 **W**)	34 min
	2	2 x (1 **O**, 1 **W**, 2 **O**, 1 **W**, 3 **O**, 1 **W**)	18 min
	3	2 x (10 **Dr**, 2 **W**)	24 min
24	1	7 **O**, 2 **W**, 6 **O**, 2 **W**, 5 **O**, 2 **W**, 4 **O**, 2 **W**	30 min
	2	9 x (1 **O**, 1 **W**)	18 min
	3	3 x (6 **Dr**, 2 **W**)	24 min
25	1	3 x (2 **O**, 1 **W**), 2 x (10 **O**, 2 **W**)	33 min
	2	6 x (2 **O**, 1 **W**)	18 min
	3	2 x (10 **Dr**, 2 **W**)	24 min
26	1	2 x (3 **O**, 1 **W**), 3 x (8 **O**, 2 **W**)	38 min
	2	2 x (3 **O**, 1 **W**, 2 **O**, 1 **W**, 1 **O**, 1 **W**)	18 min
	3	3 x (6 **Dr**, 2 **W**)	24 min
27	1	5 x (5 **O**, 1 **W**)	30 min
	2	9 x (1 **O**, 1 **W**)	18 min
	3	16 **Dr**, 2 **W**	18 min

Week	Dag	Kern	Duur
28	1	Prestatieloop 5 km	25-50 min
	2	5 x (2 **Dr**, 1 **W**)	15 min
	3	3 x (6 **Dr**, 2 **W**)	24 min

Kern week 17 t/m 28 drie trainingen per week, standaardprogramma

Opmerkingen
- Als je volgens het schema lang achter elkaar moet lopen (zoals in week 26), mag je gewoon een stukje wandelen zodra het echt te zwaar wordt. Niet doorduwen als het heel moeilijk wordt.
- Achterin dit hoofdstuk staat informatie over het doen van de prestatieloop.

Week	Trainingsscore			Score totaal	Norm 2 4 6 8 10 12 14 16 18 20 22 24 26 28 30
	1	2	3	totaal	
17					OK · TE
18					OK · TE
19					OK · TE
20					OK · TE
21					OK · TE
22					OK · TE
23					OK · TE
24					OK · TE
25					OK · TE
26					OK · TE
27					OK · TE
28					OK · TE

Scores week 17 t/m 28 drie trainingen per week, standaardprogramma

Tempo's vlot schema

Bij de vlotte schema's gebruiken we vier verschillende tempo's. De bekende drie (wandelen, dribbelen en ontspannen hardlopen) plus het vierde tempo: stevig. Het stevige tempo is sneller dan het ontspannen tempo, maar niet zo hard dat je helemaal buiten adem raakt. Je moet hier een beetje mee experimenteren.

Aanduiding	Betekenis
W	Normaal wandelen, dit is voor de meeste mensen ongeveer 5 km/h.
Dr	Dribbelen, zo langzaam mogelijk hardlopen.
O	Ontspannen rustig hardlopen. Het is wat sneller dan dribbelen, maar je moet nog gemakkelijk kunnen praten en je moet niet het gevoel hebben dat je buiten adem raakt.
S	Stevig hardlopen. Het gaat wat sneller, maar de adem moet je niet door de keel gieren. Je moet nog kunnen praten, maar niemand neemt het je kwalijk dat je geen lange zinnen maakt.

Vlot schema, twee keer trainen

Week	Dag	Kern	Duur
17	1	6 O, 1 W, 5 O, 1 W, 4 O, 1 W, 3 S, 2 W, 2 S, 2 W, 2 S, 2 W	31 min
	2	4 x (4 O, 1 W)	20 min
18	1	3 x (2 O, 1 W), 3 x (2 S, 2 W), 3 x (2 O, 1 W)	30 min
	2	3 x (5 O, 2 W)	21 min
19	1	2 x (2 O, 1 W), 3 x (5 O, 2 W), 3 x (1 S, 1 W)	33 min
	2	2 x (8 O, 2 W)	20 min
20	1	6 O, 1 W, 5 O, 1 W, 4 O, 1 W, 3 S, 1 W, 2 S, 1 W, 2 S, 1 W	28 min
	2	5 x (3 O, 1 W)	20 min
21	1	3 x (2 O, 1 W), 3 x (2 S, 2 W), 3 x (2 O, 1 W)	30 min
	2	3 x (6 O, 1 W)	21 min
22	1	2 x (2 O, 1 W), 3 x (5 O, 2 W), 3 x (1 S, 1 W)	33 min
	2	2 x (10 O, 2 W)	24 min
23	1	2 x (2 O, 1 W), 3 x (8 O, 2 W)	36 min
	2	5 x (4 O, 1 W)	25 min
24	1	3 x (2 O, 1 W), 3 x (2 S, 2 W), 3 x (2 O, 1 W)	30 min
	2	3 x (6 O, 1 W)	21 min
25	1	7 O, 2 W, 6 O, 2 W, 5 O, 2 W, 4 S, 2 W, 3 S, 2 W	35 min
	2	6 x (3 O, 1 W)	24 min
26	1	2 x (2 O, 1 W), 3 x (8 O, 2 W)	36 min

Week	Dag	Kern	Duur
	2	22 **Dr**, 2 **W**	24 min
27	1	3 x (2 **O**, 1 **W**), 3 x (2 **S**, 2 **W**), 3 x (2 **O**, 1 **W**)	30 min
	2	7 x (2 **O**, 1 **W**)	21 min
28	1	Prestatieloop 5 km	20-35 min
	2	10 x (1 **O**, 1 **W**)	20 min

Kern week 17 t/m 28 twee trainingen per week, vlot programma

Opmerkingen
- Als je volgens het schema lang achter elkaar moet lopen (zoals in week 26), mag je gewoon een stukje wandelen zodra het echt te zwaar wordt. Niet doorduwen als het heel moeilijk wordt.
- Achter in dit hoofdstuk staat informatie over het doen van de prestatieloop.

In de onderstaande tabel kun je je scores weer invullen en controleren.

Week	Trainingsscore		Score totaal	Norm 2 4 6 8 10 12 14 16 18 20		
	1	2				
13					OK	TE
14					OK	TE
15					OK	TE
16					OK	TE
17					OK	TE
18					OK	TE
19					OK	TE
20					OK	TE
21					OK	TE
22					OK	TE
23					OK	TE
24					OK	TE

Scores week 17 t/m 28 twee trainingen per week, vlot programma

Vlot schema, drie keer trainen

Week	Dag	Kern	Duur
17	1	2 x (2 **O**, 1 **W**), 2 x (10 **O**, 2 **W**)	30 min
	2	3 x (1 **O**, 1 **W**), 4 x (1 **S**, 1 **W**), 3 x (1 **O**, 1 **W**)	20 min
	3	2 x (10 **Dr**, 2 **W**)	24 min
18	1	2 x (2 **O**, 1 **W**), 3 x (7 **O**, 2 **W**)	33 min
	2	4 x (1 **O**, 1 **W**, 1 **S**, 2 **W**)	20 min
	3	3 x (7 **Dr**, 2 **W**)	27 min
19	1	2 x (2 **O**, 1 **W**), 2 x (12 **O**, 2 **W**)	34 min
	2	3 x (1 **O**, 1 **W**), 4 x (1 **S**, 1 **W**), 3 x (1 **O**, 1 **W**)	20 min
	3	2 x (10 **Dr**, 2 **W**)	24 min
20	1	4 x (5 **O**, 2 **W**)	28 min
	2	3 x (2 **O**, 1 **W**, 1 **S**, 2 **W**)	18 min
	3	3 x (6 **Dr**, 2 **W**)	24 min
21	1	2 x (2 **O**, 1 **W**), 2 x (12 **O**, 2 **W**)	34 min
	2	2 x (1 **O**, 1 **W**), 3 x (2 **S**, 2 **W**), 2 x (1 **O**, 1 **W**)	20 min
	3	2 x (12 **Dr**, 2 **W**)	28 min
22	1	2 x (2 **O**, 1 **W**), 3 x (8 **O**, 2 **W**)	36 min
	2	10 x (1 **S**, 1 **W**)	20 min
	3	3 x (8 **Dr**, 2 **W**)	30 min
23	1	2 x (2 **O**, 1 **W**), 2 x (14 **O**, 2 **W**)	38 min
	2	2 x (1 **S**, 1 **W**, 2 **S**, 2 **W**, 3 **S**, 2 **W**)	22 min
	3	2 x (12 **Dr**, 2 **W**)	28 min
24	1	7 **O**, 1 **W**, 6 **O**, 1 **W**, 5 **O**, 1 **W**, 4 **O**, 1 **W**, 3 **O**, 1 **W**	30 min
	2	9 x (1 **S**, 1 **W**)	18 min
	3	3 x (6 **Dr**, 2 **W**)	24 min
25	1	2 x (3 **O**, 1 **W**), 2 x (12 **O**, 2 **W**)	36 min
	2	5 x (2 **S**, 2 **W**)	20 min
	3	2 x (12 **Dr**, 2 **W**)	28 min
26	1	2 x (3 **O**, 1 **W**), 3 x (8 **O**, 1 **W**)	35 min
	2	2 x (3 **S**, 2 **W**, 2 **S**, 2 **W**, 1 **S**, 2 **W**)	24 min
	3	3 x (7 **Dr**, 2 **W**)	27 min
27	1	6 x (5 **O**, 1 **W**)	36 min
	2	9 x (1 **S**, 1 **W**)	18 min
	3	16 **Dr**, 2 **W**	18 min

Week	Dag	Kern	Duur
28	1	Prestatieloop 5 km	20-35 min
	2	5 x (2 **Dr**, 1 **W**)	15 min
	3	3 x (6 **Dr**, 2 **W**)	24 min

Kern week 17 t/m 28 drie trainingen per week, vlot programma

Opmerkingen
- Als je volgens het schema lang achter elkaar moet lopen, mag je gewoon een stukje wandelen zodra het echt te zwaar wordt. Niet doorduwen als het heel moeilijk wordt.
- Achter in dit hoofdstuk staat informatie over het doen van de prestatieloop.

In de onderstaande tabel kun je je scores weer invullen en controleren.

Week	Trainingsscore 1	2	3	Score totaal	Norm 2 4 6 8 10 12 14 16 18 20 22 24 26 28 30
17					OK · TE
18					OK · TE
19					OK · TE
20					OK · TE
21					OK · TE
22					OK · TE
23					OK · TE
24					OK · TE
25					OK · TE
26					OK · TE
27					OK · TE
28					OK · TE

Scores week 17 t/m 28 drie trainingen per week, vlot programma

Voorbeelden volledige trainingen

We geven twee voorbeelden van volledige trainingen met een ontspanningsoefening.

Voorbeeld 1

We werken de tweede training uit van week 22 van het standaardprogramma met twee trainingen per week. Zie het vorige hoofdstuk voor de details van de mogelijkheden voor de oefeningen.

Onderdeel	Inhoud	Duur
Inlopen	3 x (1 **Dr**, 1 **W**)	6 min
	O3 Ontspanning	2 min
	3 x (1 **Dr**, 1 **W**)	6 min
Warming-up	B1 Enkels losdraaien	4 min
	B2 Armen hoog uitstrekken	
	B5 Uitstrekken op de tenen	
	B7 Bovenbeen draaien	
Kracht/techniek	K1 voeten afwikkelen	10 min
	K2 rug uitstrekken tijdens het wandelen	
	K5 Wandelcombinatie	
	T1 Knieheffen tijdens het dribbelen	
	K4 Kleine tweebenige sprongen	
Kern	10 minuten rustig dribbelen	10 min
	2 minuten wandelen	2 min
	10 minuten rustig dribbelen	10 min
	2 minuten wandelen	2 min
Cooling-down	B2 Armen hoog uitstrekken	10 min
	R1 Buitenste kuitspieren rekken	
	R2 Diepe kuitspieren rekken	
	R3 Dijbeenspieren rekken	
	R4 Hamstrings rekken	
	R5 Binnenzijde benen rekken	
	R6 Voorzijde heup rekken	
	B1 Enkels losdraaien	
Uitlopen	5 x (1 **Dr**, 1 **W**)	10 min
Totaal		72 min

Merk op dat we tijdens het inlopen een ontspannings-oefening hebben toegevoegd. Voor de keuze van de kracht- en techniekoefeningen moet je in het vorige hoofdstuk kijken. We zitten in de zesde week van de 12-weekse periode. De tweede training van de zesde week moet breed zijn (zie de tabel *Kracht en Techniek in een 12-weekse periode* in hoofdstuk 6).

Voorbeeld 2

Van het vlotte programma met drie trainingen, de tweede training van week 18. We zitten hier in de tweede week van de 12-weekse periode die begint met week 17. Voor het kracht- en techniekdeel kiezen we daarom een techniekprogramma.

Onderdeel	Inhoud	Duur
Inlopen	1 **Dr**, 1 **W**, 1 **Dr**, 1 **W**, 2 **Dr** O2 Ademhaling 3 **Dr**, 1 **W**	6 min 2 min 4 min
Warming-up	B1 Enkels losdraaien B2 Armen hoog uitstrekken B5 Uitstrekken op de tenen B7 Bovenbeen draaien	4 min
Kracht/techniek	T1 Knieheffen tijdens het dribbelen T2 Skipping	5 min
Kern	4 x (1 **O**, 1 **W**, 1 **S**, 2 **W**)	20 min
Cooling-down	B2 Armen hoog uitstrekken R1 Buitenste kuitspieren rekken R2 Diepe kuitspieren rekken R3 Dijbeenspieren rekken R4 Hamstrings rekken R5 Binnenzijde benen rekken R6 Voorzijde heup rekken B1 Enkels losdraaien	10 min
Uitlopen	5 x (1 **Dr**, 1 **W**)	10 min
Totaal		61 min

Het uitzoeken en lopen van een prestatieloop

*Start met een
kleine regionale
prestatieloop.*

Er zijn tegenwoordig veel prestatielopen. Heel grote
met duizenden deelnemers, maar ook kleine, regionale
lopen met enkele tientallen lopers. Voor je eerste 5 km
prestatieloop kun je het beste een middelgrote loop
uitzoeken. Je raakt zo niet verdwaald in de meute, terwijl
er voldoende medelopers zijn om een leuke dag te
hebben.

Hoe vind je een geschikte loop?

Er zijn nogal wat websites met loopkalenders. Het
probleem is echter dat ze komen en gaan. Een stabiele
bron is de website van de Koninklijke Nederlandse
Atletiek Unie (KNAU). Op deze site vind je flink wat
informatie over veel van de beschikbare prestatielopen.
De website is: www.knau.nl.

Je moet wel op een paar dingen letten. Zo kan er sprake
zijn van een KNAU wedstrijdloop. Hier kun je normaal
gesproken niet aan meedoen. Deze lopen zijn voor snelle
mensen met een wedstrijdlicentie. Soms worden echter
prestatielopen gecombineerd met wedstrijdlopen. Dan
kun je wel gewoon meedoen.

Let verder op de volgende zaken.

*Maak voor je eerste
prestatieloop een
lijstje met dingen
waaraan je moet
denken.*

- Is het parcours verkeersvrij?
  Het loopt veel lekkerder wanneer je de weg niet met
  ander verkeer hoeft te delen.
- Welk type ondergrond is het?
  Het kan asfalt zijn, maar ook bosgrond. Beide zijn
  OK, maar het kan ook een cross zijn. Hierbij put de
  organisatie zich vaak uit in het uitzoeken van een
  slecht begaanbaar parcours. Dit kun je beter voor later
  in je loopcarrière bewaren.
- Wat zijn de kosten?
- Moet je vooraf inschrijven of kan het ook nog op de
  dag van de loop?
  Hoe lang voor de start moet je er zijn?
- Hoeveel deelnemers zijn er op de afstand die jij wilt
  lopen?
  Als er veel deelnemers zijn, kun je beter wat extra
  vroeg aanwezig zijn.
- Hoe is de verzorging? Zijn er drankposten?
  Voor een 5 km-loop is dit niet vreselijk belangrijk.
- Is er een omkleed- of douchemogelijkheid?

Voor de loop

Zorg dat je goed bent voorbereid op de organisatorische zaken rondom de loop (zie de vorige paragraaf). Zorg dat je op tijd bent, zodat je een goede warming-up kunt doen. Zorg er ook voor dat je loopkleding aan hebt die je al regelmatig eerder hebt gedragen. Als het koud is, doe je je overtollige kleren pas vlak voor de start van de loop uit. Als het regent of winderig is, kun je ook zelf een wegwerpshirt maken met behulp van een vuilniszak. Deze is wind- en waterdicht.

Gebruik kleding waarin je al regelmatig hebt gelopen.

Ga, als het een druk evenement is, niet te dicht vooraan staan. Vooraan wordt vaak geduwd en bovendien wil je zelf ook niet in de weg lopen. Daarnaast loop je het risico meegesleept te worden in een voor jou te hoog tempo. Zorg dat je gegeten en gedronken hebt. Vast voedsel minstens twee uur voor de start. Drinken kun je tot vlak voor de start doen. Overdrijf echter niet.

Tijdens het lopen

Bij de start van een prestatieloop is het vaak wat onrustig. Kijk goed uit waar je loopt en haast je niet. Begin vooral rustig. Loop een tempo waarvan je weet dat je het in de training een flinke tijd kon volhouden. Gaat het rond drie kilometer nog steeds gemakkelijk, dan kun je er een schepje bovenop doen. Je kunt natuurlijk ook gewoon rustig doorlopen.

Start rustig! Bewaar je reserves voor de tweede helft.

Krijg je het onderweg erg moeilijk, aarzel dan niet om een stukje te gaan wandelen. Wandel wel minstens een minuut achter elkaar, anders helpt het niet genoeg. Tijdens een 5 kilometerloop heb je niet dringend iets te drinken nodig. Maar als het warm is of als je dorst hebt, is het verstandig om wel wat te drinken. Drink echter niet te haastig en ook niet te veel. Als je vooraf voldoende gedronken hebt, ben je zeker niet binnen een uur uitgedroogd.

Na het lopen

Na het lopen is het verstandig om direct wat te drinken. Zorg ervoor dat het een koolhydraathoudende drank is. Nadat je wat gedronken hebt, ga je rustig wat uitlopen. Daarna doe je wat losmaak- en rekoefeningen. Je eerste prestatieloop zit erop.

Sluit af met een uitgebreide cooling-down. Drink een lekker zoet drankje.

Spierpijn?

*Spierpijn verdwijnt
vanzelf.
Wacht met sporten
tot de spierpijn
verdwenen is.*

Als je een fanatiek type bent, kan het zijn dat je de dagen
na de loop last van spierpijn hebt. Dat is niet erg. Je
moet zolang je spierpijn hebt niet sporten (zeker niet
hardlopen). De spierpijn moet vanzelf weggaan. Je kunt
er eigenlijk ook niets aan doen. Vaak voelt het wel lekker
om een poosje in bad te zitten of een stukje rustig te
wandelen.

WEEK 29 T/M 40
EEN RUSTPLATEAU

De boog kan niet voortdurend gespannen zijn. Rustperiodes zijn belangrijk.

Deze periode breiden we het trainingsprogramma niet uit. Er wordt niet langer getraind en niet sneller getraind. We geven even een adempauze om een poosje op een stabiel niveau te trainen. Op deze manier zorgen we ervoor dat je lichaam helemaal kan wennen aan wat je al bereikt hebt. De kans op blessures wordt daardoor een stuk kleiner.

Gebruik ongeveer dezelfde warming-up, cooling-down en oefeningen als uit de vorige periode. Voel je vrij om zelf wat te variëren.

Na acht weken doe je weer een Coopertest en aan het einde van de twaalf weken kun je opnieuw een 5 km prestatieloop doen.

Vaker trainen?

Als je nu één keer per week traint en graag twee keer per week wilt gaan trainen, kun je in week 24 beginnen met het standaardschema van de vorige periode.

Als je nu twee keer per week traint en je wilt drie keer per week gaan trainen, kun je naar week 24 van de vorige periode. Doe je nu het standaardschema, doe dat dan ook voor drie trainingen. Volg je het vlotte schema, blijf dat dan doen.

Is het tot nu toe erg zwaar?

Als de training je zwaar valt, kun je de volgende dingen proberen.

Wees verstandig: doe niet meer dan comfortabel is.

- Kijken of je probeert te snel te lopen. Als je te pittig loopt, moet je het gewoon wat kalmer aan doen. Rustiger lopen dus.
- Als je een van de vlotte schema's volgt, kun je overstappen op het standaardschema.
- Je kunt eigenlijk altijd een aantal weken terug in het schema. Het schema is zo opgebouwd dat je het beste een viertal weken terug kunt stappen. Dus als je nu aan week 29 toe bent en je vindt het op dit moment zwaar, stap dan terug naar week 25.
- Je kunt het ook gewoon nog even aankijken. De komende periode van twaalf weken dient ervoor om te stabiliseren. We doen er geen schepje bovenop.

Rompstabiliteit

Hardlopen is goed voor de rompspieren. Je moet continu je buik- en je rugspieren gebruiken. Goed getrainde rompspieren zijn ook belangrijk voor het hardlopen. Er zitten heel veel spieren rondom je wervelkolom en bekken. Korte en langere spieren. Ze zitten bovendien in een aantal lagen. De diepste lagen dienen er vooral voor om je wervelkolom de juiste vorm te laten houden onder alle omstandigheden. Dit heet rompstabiliteit. Voor een gezonde rug moeten deze spieren dat je hele leven lang onvermoeibaar blijven doen.

Door een slechte houding maak je de belasting echter zo groot, dat je rug in de problemen kan komen. Om dit te voorkomen geven we nu een 'recept' om je diepe rompspieren de juiste spanning te geven. Dit kun je toepassen bij het begin van iedere oefening en zelfs tijdens het hardlopen.

S1 Interne stabiliteit

Trek je rug lichtjes hol en voel de rugspieren aanspannen; trek je buik in vanaf het bekken; strek je rug erbij uit en voel de spanning in de diepe rugspieren langs de wervelkolom. Stel je voor: je wilt een te strakke broek aantrekken en doet de rits dicht. Het moment van dun maken komt dan overeen met het aanspannen van de spieren voor de interne stabiliteit.

Vanaf nu doe je er goed aan iedere keer het bovenstaande ritueel uit te voeren wanneer je een oefening doet die veel van je romp vergt. Dit zijn bijvoorbeeld oefeningen waarbij je op één been moet staan, waarbij je je uitstrekt of waarbij je de knieën heft. Denk er ook tijdens het hardlopen regelmatig aan.

S2 Rompstabiliteit tijdens het lopen

Tijdens het hardlopen kun je ook aan rompstabiliteit werken. Het is echter niet mogelijk alles te doen wat in oefening S1 staat.

Tijdens het hardlopen besteed je ongeveer elke 5 minuten even aandacht aan de stabiliteit van je romp. Dit doe je heel eenvoudig door het uitstrekken van je romp. Voel het verschil tussen het moment vóór het uitstrekken en tijdens en na het uitstrekken. Probeer de uitgestrekte houding even vol te houden. Uiteindelijk zal het steeds gemakkelijker gaan en zal je alleen bij vermoeidheid nog een groot verschil ervaren.

Lichaam en ontspanning tijdens het hardlopen

Hier volgen nog twee oefeningen die je door een goed lichaamsbewustzijn leren om je lichaam goed te gebruiken.

04 Lichaamsbewustzijn tijdens het lopen

Door regelmatig een bepaald onderdeel van je lichaam even aandacht te geven, leer je om naar je lijf te luisteren. Het onderstaande is een voorbeeld dat je aan je precieze training zult moeten aanpassen.

Op minuut 4 van het programma voel je hoe de grond onder je voeten aanvoelt. Je gaat met je aandacht naar je voeten. Je voelt de onregelmatigheden in de ondergrond en hoe je je voet afzet. Welke beweging voel je in je enkels?

In de 8ste minuut geef je een minuutje aandacht aan je knieën. Voel je hoe de spieren in je bovenbeen afwisselend aan de voor en de achterzijde aanspannen en weer ontspannen?

In de 12de minuut ga je naar je heupen. Voel hoe ver je benen naar voren en naar achteren zwaaien. Voel de druk van het afzetten in je heupgewrichten. Voel je hoe en wanneer je bilspieren hun werk doen?

In de 16de minuut geef je aandacht aan je romp. Hoe voelt je onderrug aan? Is er voldoende spierspanning, of ben je al een beetje ingezakt? Hoe is het met je bovenrug? Nog goed recht? De schouderbladen iets naar elkaar toe, zonder dat je je schouders hoog optrekt?

In de 20ste minuut voel je je nekspieren. Staat je hoofd ontspannen rechtop? Kun je gemakkelijk, losjes naar links en naar rechts kijken? Kun je je hoofd gemakkelijk naar rechts en naar links kantelen?

Tot slot probeer je je hele lichaam in je op te nemen. Zijn er verschillen met het begin? Loop je lekker? Of niet helemaal? En waar zit het dan in?

De aandacht is meestal maar kort vol te houden. Dat geeft niet, even is goed genoeg, daarna loop je lekker ontspannen door.

De vorige oefening is niet gemakkelijk. Deze volgende is wat eenvoudiger.

05 Ontspanning tijdens het lopen

Tijdens het hardlopen kun je door alle inspanning wat gespannen gaan lopen. Er ontstaat vooral gemakkelijk spanning in de nek en in de schouders. Doe daarom bijvoorbeeld iedere 5 minuten het volgende. Neem even wat tempo terug. Richt je aandacht op je nek en je schouders. Draai je schouders. Laat je armen even ontspannen hangen. En ga weer verder.

Standaardschema, één keer trainen

Week	Kern	Duur
29	3 O, 1 W, 4 O, 1 W, 5 O, 1 W, 6 O, 1 W, 5 O, 1 W, 4 O, 1 W	33 min
30	3 x (2 O, 1 W), 3 x (5 O, 1 W)	27 min
31	3 x (2 O, 1 W), 2 x (10 O, 2 W)	33 min
32	2 O, 1 W, 3 O, 1 W, 4 O, 1 W, 5 O, 1 W, 4 O, 1 W, 3 O, 1 W	27 min
33	3 x (2 O, 1 W), 2 x (10 O, 2 W)	33 min
34	10 x (2 O, 1 W)	30 min
35	2 x (2 O, 1 W), 2 x (12 O, 2 W)	34 min
36	2 x (2 O, 1 W) + Coopertest	18 min
37	2 x (2 O, 1 W), 3 x (7 O, 2 W)	33 min
38	3 x (2 O, 1 W), 20 O, 2 W	31 min
39	2 x (2 O, 1 W), 3 x (8 O, 2 W)	36 min
40	Prestatieloop 5 km	25-50 min

Kern week 29 t/m 40 één training per week, standaardprogramma

Opmerkingen
- Zie voor de Coopertest hoofdstuk 4 en voor de prestatieloop het vorige hoofdstuk.
- Als je het moeilijk krijgt tijdens een langer stuk hardlopen, ga dan gerust een stukje wandelen en loop verder zodra je weer op adem bent.

Hieronder kun je weer de gevoelsscore invullen en controleren.

Week	Score	Norm 1 2 3 4 5 6 7 8 9 10
29		OK · TE
30		OK · TE
31		OK · TE
32		OK · TE
33		OK · TE
34		OK · TE
35		OK · TE
36		OK · TE
37		OK · TE
38		OK · TE
39		OK · TE
40		OK

Scores week 17 t/m 28 één training per week, standaardprogramma

Standaardschema, twee keer trainen

Week	Dag	Kern	Duur
29	1	3 O, 1 W, 4 O, 1 W, 5 O, 1 W, 6 O, 1 W, 5 O, 1 W, 4 O, 1 W	33 min
	2	4 x (4 O, 1 W)	20 min
30	1	10 x (2 O, 1 W)	30 min
	2	3 x (5 O, 2 W)	21 min
31	1	2 x (2 O, 1 W), 3 x (5 O, 2 W), 2 x (1 O, 1 W)	31 min
	2	2 x (10 Dr, 2 W)	24 min
32	1	6 O, 2 W, 5 O, 2 W, 4 O, 2 W, 3 O, 2 W, 2 O, 2 W	30 min
	2	5 x (3 O, 1 W)	20 min
33	1	11 x (2 O, 1 W)	33 min
	2	3 x (5 O, 2 W)	21 min
34	1	2 x (2 O, 1 W), 3 x (5 O, 2 W), 2 x (2 O, 1 W)	33 min
	2	2 x (10 Dr, 2 W)	24 min
35	1	2 x (2 O, 1 W), 3 x (6 O, 2 W)	30 min
	2	4 x (4 O, 2 W)	24 min
36	1	2 x (2 O, 1 W) + Coopertest	18 min
	2	3 x (5 O, 2 W)	21 min
37	1	7 O, 2 W, 6 O, 2 W, 5 O, 2 W, 4 O, 2 W, 3 O, 2 W	35 min
	2	6 x (3 O, 1 W)	24 min
38	1	2 x (2 O, 1 W), 3 x (7 O, 2 W)	33 min
	2	20 Dr, 2 W	22 min
39	1	9 x (2 O, 1 W)	27 min
	2	6 x (2 O, 1 W)	18 min
40	1	Prestatieloop 5 km	25-50 min
	2	8 x (1 O, 1 W)	16 min

Kern week 29 t/m 40 twee trainingen per week, standaardprogramma

Opmerkingen
- Zie voor de Coopertest hoofdstuk 4 en voor de prestatieloop het vorige hoofdstuk.
- Als je het moeilijk krijgt tijdens een langer stuk hardlopen, ga dan gerust een stukje wandelen en loop verder zodra je weer op adem bent. Dit kan gemakkelijk gebeuren in de tweede training van week 38.

In de onderstaande tabel kun je je scores weer invullen en controleren.

Week	Trainingsscore 1	2	Score totaal	Norm 2 4 6 8 10 12 14 16 18 20
29				OK TE
30				OK TE
31				OK TE
32				OK TE
33				OK TE
34				OK TE
35				OK TE
36				OK TE
37				OK TE
38				OK TE
39				OK TE
40				OK TE

Scores week 29 t/m 40 twee trainingen per week, standaardprogramma

Standaardschema, drie keer trainen

Week	Dag	Kern	Duur
29	1	3 x (2 **O**, 1 **W**), 2 x (10 **O**, 2 **W**)	33 min
	2	10 x (1 **O**, 1 **W**)	20 min
	3	2 x (12 **Dr**, 2 **W**)	28 min
30	1	2 x (2 **O**, 1 **W**), 3 x (7 **O**, 2 **W**)	33 min
	2	10 x (1 **O**, 1 **W**)	20 min
	3	3 x (7 **Dr**, 2 **W**)	27 min
31	1	2 x (2 **O**, 1 **W**), 2 x (12 **O**, 2 **W**)	34 min
	2	10 x (1 **O**, 1 **W**)	20 min
	3	2 x (12 **Dr**, 2 **W**)	28 min
32	1	4 x (6 **O**, 2 **W**)	32 min
	2	6 x (2 **O**, 1 **W**)	18 min
	3	3 x (6 **Dr**, 2 **W**)	24 min
33	1	3 x (2 **O**, 1 **W**), 2 x (12 **O**, 2 **W**)	37 min
	2	10 x (1 **O**, 1 **W**)	20 min
	3	20 **Dr**, 2 **W**	22 min
34	1	4 **O**, 1 **W**, 5 **O**, 1 **W**, 6 **O**, 1 **W**, 7 **O**, 2 **W**, 8 **O**, 2 **W**	37 min
	2	10 x (1 **O**, 1 **W**)	20 min
	3	3 x (7 **Dr**, 2 **W**)	27 min
35	1	2 x (2 **O**, 1 **W**), 2 x (12 **O**, 2 **W**)	34 min
	2	2 x (1 **O**, 1 **W**, 2 **O**, 1 **W**, 3 **O**, 1 **W**)	18 min
	3	2 x (10 **Dr**, 2 **W**)	24 min
36	1	2 x (2 **O**, 1 **W**) + Coopertest	18 min
	2	9 x (1 **O**, 1 **W**)	18 min
	3	3 x (6 **Dr**, 2 **W**)	24 min
37	1	3 x (2 **O**, 1 **W**), 2 x (12 **O**, 2 **W**)	37 min
	2	6 x (2 **O**, 1 **W**)	18 min
	3	2 x (12 **Dr**, 2 **W**)	28 min
38	1	2 x (3 **O**, 1 **W**), 3 x (8 **O**, 2 **W**)	38 min
	2	2 x (3 **O**, 1 **W**, 2 **O**, 1 **W**, 1 **O**, 1 **W**)	18 min
	3	3 x (7 **Dr**, 1 **W**)	24 min
39	1	5 x (6 **O**, 1 **W**)	35 min
	2	10 x (1 **O**, 1 **W**)	20 min
	3	16 **Dr**, 2 **W**	18 min

Week	Dag	Kern	Duur
40	1	Prestatieloop 5 km	25-50 min
	2	5 x (2 **Dr**, 1 **W**)	15 min
	3	3 x (6 **Dr**, 2 **W**)	24 min

Kern week 29 t/m 40 drie trainingen per week, standaardprogramma

Opmerkingen
- Zie voor de Coopertest hoofdstuk 4 en voor de prestatieloop het vorige hoofdstuk.
- Als je het moeilijk krijgt tijdens een langer stuk hardlopen, ga dan gerust een stukje wandelen en loop verder zodra je weer op adem bent. Dit kan gemakkelijk gebeuren in de derde training van week 33.

De onderstaande tabel kun je weer gebruiken voor het invullen en controleren van je gevoelsscores.

Week	Trainingsscore 1	2	3	Score totaal	Norm 2 4 6 8 10 12 14 16 18 20 22 24 26 28 30
29					OK TE
30					OK TE
31					OK TE
32					OK TE
33					OK TE
34					OK TE
35					OK TE
36					OK TE
37					OK TE
38					OK TE
39					OK TE
40					OK TE

Scores week 29 t/m 40 drie trainingen per week, standaardprogramma

Vlot schema, twee keer trainen

Week	Dag	Kern	Duur
29	1	6 O, 1 W, 5 O, 1 W, 4 O, 1 W, 3 S, 2 W, 2 S, 2 W, 2 S, 2 W	31 min
	2	4 x (5 O, 1 W)	24 min
30	1	3 x (2 O, 1 W), 4 x (2 S, 2 W), 3 x (2 O, 1 W)	34 min
	2	3 x (5 O, 2 W)	21 min
31	1	2 x (2 O, 1 W), 3 x (5 O, 2 W), 3 x (1 S, 1 W)	33 min
	2	2 x (8 O, 2 W)	20 min
32	1	6 O, 1 W, 5 O, 1 W, 4 O, 1 W, 3 O, 1 W, 2 O, 1 W, 1 O, 1 W	27 min
	2	5 x (3 O, 1 W)	20 min
33	1	3 x (2 O, 1 W), 4 x (2 S, 2 W), 3 x (2 O, 1 W)	34 min
	2	3 x (6 O, 1 W)	21 min
34	1	2 x (2 O, 1 W), 3 x (5 O, 2 W), 3 x (1 S, 1 W)	33 min
	2	2 x (10 O, 2 W)	24 min
35	1	2 x (2 O, 1 W), 3 x (8 O, 2 W)	36 min
	2	5 x (4 O, 1 W)	25 min
36	1	2 x (2 O, 1 W) + Coopertest	18 min
	2	10 x (1 O, 1 W)	20 min
37	1	7 O, 2 W, 6 O, 2 W, 5 O, 2 W, 4 S, 2 W, 3 S, 2 W	35 min
	2	6 x (3 O, 1 W)	24 min
38	1	2 x (2 O, 1 W), 3 x (8 O, 2 W)	36 min
	2	22 Dr, 2 W	24 min
39	1	3 x (2 O, 1 W), 3 x (2 S, 2 W), 3 x (2 O, 1 W)	30 min
	2	7 x (2 O, 1 W)	21 min
40	1	Prestatieloop 5 km	20-35 min
	2	10 x (1 O, 1 W)	20 min

Kern week 29 t/m 40 twee trainingen per week, vlot programma

Opmerkingen
- Zie voor de Coopertest hoofdstuk 4 en voor de prestatieloop het vorige hoofdstuk.
- Als je het moeilijk krijgt tijdens een langer stuk hardlopen, ga dan gerust een stukje wandelen en loop verder zodra je weer op adem bent. Dit kan gemakkelijk gebeuren in de tweede training van week 38.

In de onderstaande tabel kun je je scores weer invullen en controleren.

Week	Traininsscore 1	2	Score totaal	Norm 2 4 6 8 10 12 14 16 18 20
29				OK TE
30				OK TE
31				OK TE
32				OK TE
33				OK TE
34				OK TE
35				OK TE
36				OK TE
37				OK TE
38				OK TE
39				OK TE
40				OK TE

Scores week 29 t/m 40 twee trainingen per week, vlot programma

Vlot schema, drie keer trainen

Week	Dag	Kern	Duur
29	1	3 x (2 **O**, 1 **W**), 2 x (12 **O**, 2 **W**)	37 min
	2	3 x (1 **O**, 1 **W**), 4 x (1 **S**, 1 **W**), 3 x (1 **O**, 1 **W**)	20 min
	3	2 x (12 **Dr**, 2 **W**)	28 min
30	1	2 x (2 **O**, 1 **W**), 3 x (8 **O**, 2 **W**)	36 min
	2	4 x (2 **O**, 1 **W**, 1 **S**, 2 **W**)	24 min
	3	3 x (7 **Dr**, 2 **W**)	27 min
31	1	2 x (2 **O**, 1 **W**), 2 x (12 **O**, 2 **W**)	34 min
	2	3 x (1 **O**, 1 **W**), 4 x (1 **S**, 1 **W**), 3 x (1 **O**, 1 **W**)	20 min
	3	2 x (14 **Dr**, 2 **W**)	32 min
32	1	4 x (5 **O**, 2 **W**)	28 min
	2	3 x (2 **O**, 1 **W**, 1 **S**, 2 **W**)	18 min
	3	3 x (6 **Dr**, 2 **W**)	24 min
33	1	3 x (2 **O**, 1 **W**), 2 x (12 **O**, 2 **W**)	37 min
	2	3 x (1 **O**, 1 **W**), 3 x (2 **S**, 2 **W**), 3 x (1 **O**, 1 **W**)	24 min
	3	2 x (12 **Dr**, 2 **W**)	28 min
34	1	2 x (2 **O**, 1 **W**), 3 x (8 **O**, 2 **W**)	36 min
	2	10 x (1 **S**, 1 **W**)	20 min
	3	3 x (8 **Dr**, 2 **W**)	30 min
35	1	2 x (2 **O**, 1 **W**), 2 x (14 **O**, 2 **W**)	38 min
	2	2 x (1 **S**, 1 **W**, 2 **S**, 2 **W**, 3 **S**, 2 **W**)	22 min
	3	2 x (12 **Dr**, 2 **W**)	28 min
36	1	2 x (1 **S**, 2 **W**) + Coopertest	18 min
	2	10 x (1 **O**, 1 **W**)	20 min
	3	3 x (6 **Dr**, 2 **W**)	24 min
37	1	2 x (3 **O**, 1 **W**), 2 x (12 **O**, 2 **W**)	36 min
	2	5 x (2 **S**, 2 **W**)	20 min
	3	25 **Dr**, 2 **W**	27 min
38	1	2 x (3 **O**, 1 **W**), 3 x (8 **O**, 1 **W**)	35 min
	2	2 x (3 **S**, 2 **W**, 2 **S**, 2 **W**, 1 **S**, 2 **W**)	24 min
	3	3 x (8 **Dr**, 2 **W**)	30 min
39	1	6 x (5 **O**, 1 **W**)	36 min
	2	10 x (1 **S**, 1 **W**)	20 min
	3	16 **Dr**, 2 **W**	18 min

Week	Dag	Kern	Duur
40	1	Prestatieloop 5 km	20-35 min
	2	5 x (2 **Dr**, 1 **W**)	15 min
	3	3 x (6 **Dr**, 2 **W**)	24 min

Kern week 29 t/m 40 drie trainingen per week, vlot schema

Opmerkingen
- Zie voor de Coopertest hoofdstuk 4 en voor de prestatieloop het vorige hoofdstuk.
- Als je het moeilijk krijgt tijdens een langer stuk hardlopen, ga dan gerust een stukje wandelen en loop verder zodra je weer op adem bent. Dit kan gemakkelijk gebeuren in de derde training van week 37.

De onderstaande tabel kun je weer gebruiken voor het invullen en controleren van je gevoelsscores.

Week	Trainingsscore 1	2	3	Score totaal	Norm 2 4 6 8 10 12 14 16 18 20 22 24 26 28 30
29					OK TE
30					OK TE
31					OK TE
32					OK TE
33					OK TE
34					OK TE
35					OK TE
36					OK TE
37					OK TE
38					OK TE
39					OK TE
40					OK TE

Scores week 29 t/m 40 drie trainingen per week, vlot programma

Soorten hardlooptraining

In onze trainingsschema's wisselen we eigenlijk steeds stukken hardlopen af met stukjes wandelen. Het hardlopen wordt ook wel de *arbeid* genoemd en het wandelen de *rust*. De verhouding tussen hardlopen en wandelen heet dan ook de *arbeid-rustverhouding*. Als je goed naar de schema's kijkt, kun je zien dat de arbeid-rustverhouding lang niet altijd dezelfde is. Als het eigenlijk alleen arbeid is, dat wil zeggen alleen hardlopen, dan heet het een *duurloop*. We gebruiken in onze schema's niet erg veel trainingen met een duurloopkarakter. Duurlopen hebben voor de beginnende loper het nadeel dat je heel erg langzaam moet lopen om het een flinke tijd vol te kunnen houden. Heel erg langzaam hardlopen is niet goed voor een goede loopstijl. Naarmate je echter meer conditie krijgt, is het mogelijk om met een goede loopvorm langer achter elkaar hard te lopen.

Een andere hardlooptrainingsvorm is de *intervalloop*. Bij de intervalloop wisselen stukken hardlopen en stukken rust elkaar af. Meestal in een tamelijk vast ritme. Je kunt dit vaak terugvinden in de schema's; bijvoorbeeld 10 x (1 O, 1 W). Bij intervaltrainingen kun je spelen met de arbeid-rustverhouding, maar ook met de snelheid van de hard te lopen stukken. Dit heet ook wel de *intensiteit*. Sommige mensen vinden een strakke afwisseling van stukken hardlopen en stukken wandelen prettig, voor anderen is dit weer wat te strak. De laatsten willen liever een wat lossere, afwisselende training. Voor hen is het *vaartspel* uitgevonden. Bij een vaartspel laat je je vooral leiden door je gevoel en door je omgeving. Wil je een stukje hard, dan doe je dat. Kun je net mooi tot de volgende bocht, dan is dat precies de goede lengte. Is er een stukje heuvel af, dan loop je even wat harder. Een vaartspel is een heel vrije vorm. Het is wel nodig dat je je eigen mogelijkheden en beperkingen kent. Als je wat verder in je loopcarrière bent, is het de ideale vorm voor een lekker ontspannen training.

Duurloop: langere stukken niet te snel lopen.

Intervalloop: regelmatige afwisseling van stukken hardlopen en rust.

Vaartspel: afwisseling van looptempo's afhankelijk van omgeving en gevoel.

We zijn aangeland bij de laatste twaalf weken van het jaarschema. Voorafgaand aan de trainingsschema's vind je een aantal ideeën voor het lopen met tweetallen.

Met z'n tweeën oefenen

Als je samen loopt, kun je elkaar observeren en aan elkaar vertellen wat je opvalt aan het lopen van de ander. Maar vooral kun je het plezier van samen lopen ervaren. Hier zit echter ook een risico aan. Met tweetallen (of meer) maak je er al snel een wedstrijdje van. Dat is wel leuk, maar riskant wat betreft blessures en het heeft weinig trainingsnut.

Behalve samen lopen kun je ook prima samen oefeningen doen.

Rompstabiliteit met z'n tweeën

De volgende oefeningen hebben een tweeledig doel. Ze zijn geschikt voor het trainen van de rompstabiliteit en de beweeglijkheid.

S3 Ruggelings draaien

Ga met de rug naar elkaar toe staan met een tussenafstand van een meter.

Zorg nu eerst voor een goede interne stabiliteit (zie oefening S1 in het vorige hoofdstuk). Tik nu elkaars handen aan door naar elkaar toe te draaien. De voeten blijven op de plaats en ook de rechtopstaande houding blijft gehandhaafd. In plaats van het aantikken kan ook iets (bijvoorbeeld een stokje) worden doorgegeven.

S4 Ruggelings hoog laag

Ga met de rug naar elkaar toe staan in een flinke spreidstand. De tussenafstand is een meter.

Zorg nu eerst voor een goede interne stabiliteit (zie oefening S1 in het vorige hoofdstuk).

De partners tikken nu elkaars handen aan, afwisselend boven het hoofd en tussen de benen door. In plaats van het aantikken kan ook een klein object worden doorgegeven.

Bij partners van ongelijke lengte of lenigheid, zoals in de afbeeldingen hiernaast, zal het aantikken niet altijd gemakkelijk zijn. Dat is niet erg.

Elkaar imiteren tijdens het hardlopen

Loopoefeningen doe je bijna altijd individueel. Door elkaar te imiteren, kun je eens ervaren hoe een ander hardloopt. Probeer met de ander in de pas te lopen, je hoofd en schouders net zo te houden. Je kunt ook proberen mee te voelen hoe snel de ademhaling van je partner gaat.

Je kunt een hoop over jezelf leren door een ander te observeren en te imiteren.

Doe dit om de beurt ongeveer twee minuten. Twee minuten zijn lang genoeg om je aan de ander aan te passen en om goed te voelen hoe het verschilt met je eigen beweging. Nadat elk de ander heeft geïmiteerd, kun je een stukje wandelen. Vertel elkaar welke verschillen je ervaart. Mogelijk kun je verklaren waarom de een anders beweegt dan de ander. Misschien zijn er aspecten van de beweging van de ander die voor jou handig zijn. Probeer dat eens voorzichtig uit, maar ga zeker niet de ander kopiëren. Je eigen stijl is voor jou in principe de juiste. Ga daar maar vanuit. Deze oefening is nuttig, omdat je je bewust wordt van de verschillende aspecten van de loopbeweging (lichaamsbewustzijn).

Doen wat de ander doet

Je kunt het lopen van de kern van de training afwisselender maken door beurtelings de leiding te nemen. Spreek af dat iedere minuut de ander voorop gaat. Degene die voorop gaat mag de route en het tempo bepalen. Je kunt ook de ondergrond wisselen. Je kunt zelfs buiten de paden lopen. Let wel op dat je binnen de grenzen van het programma blijft. De tempo's moeten redelijk blijven en het mag zeker geen wedstrijd worden. Ook tijdens het techniek- en krachtgedeelte van de training kun je hetzelfde principe volgen. De leider bepaalt de oefeningen en hoe ze precies gedaan worden. Wissel regelmatig van leiderschap. De oefeningen uit het kracht- en techniekdeel kunnen best zwaar zijn. Houd hier rekening mee en als je de tijdelijke leider bent, ben je ook verantwoordelijk voor het welzijn van je volgeling.

Treintje spelen

Treintje spelen is een oefenvorm waarbij steeds de achterste naar voren loopt en de kop neemt. Het kan met tweetallen, maar is leuker met een groepje van drie of vier lopers. Je kunt een stuk in de kern vervangen door *treintje spelen*. Inhalen doe je als volgt: je wacht terwijl de ander begint met hardlopen en geeft de ander een voorsprong van bijvoorbeeld drie tellen en gaat dan inhalen. Daarna loop je een stukje samen op en wissel je. Het kan leuk zijn om het aantal tellen op te laten lopen totdat je merkt dat je te veel moet aanzetten om in te kunnen halen. Het is niet de bedoeling dat het een 'afvalrace' wordt. Je kunt als je een prettig aantal tellen gevonden hebt dit een tijdje herhalen. Het kan voor de een bijvoorbeeld 6 tellen zijn, terwijl de ander 8 tellen leuk vindt en goed kan volhouden. Inhalen kan dus een deel van de normale training zijn. Ook in een vaartspel is het een leuke vorm, die dan kort, maar met een pittig tempo uitgevoerd moet worden. Denk altijd goed na wat je bedoeling is en of dat in je schema past.

Samen maar toch onafhankelijk

Loop op je eigen niveau. Ook als je samen traint.

Als je samen wilt trainen, maar er onderling een groot tempoverschil is, kun je het volgende doen:

- Loop een ronde tegengesteld zodat je elkaar steeds weer ziet, maar je ieder je eigen tempo kunt lopen.
- Je loopt beiden dezelfde route, maar spreekt af tot waar de voorste loopt voordat hij of zij keert en terugkomt naar de achterste. Dit is het prettigste in de pauzes wanneer je toch relatief rustig loopt; de achterste moet er wel op letten echt rust te nemen.

Standaardschema, één keer trainen

Week	Kern	Duur
41	4 O, 1 W, 5 O, 1 W, 6 O, 1 W, 6 O, 1 W, 5 O, 1 W, 4 O, 1 W	36 min
42	3 x (2 O, 1 W), 3 x (8 O, 2 W)	39 min
43	4 x (2 O, 1 W), 2 x (12 O, 2 W)	40 min
44	2 O, 1 W, 3 O, 1 W, 4 O, 1 W, 5 O, 1 W, 6 O, 1 W, 7 O, 1 W	33 min
45	2 x (2 O, 1 W), 3 x (9 O, 2 W)	39 min
46	10 x (3 O, 1 W)	40 min
47	2 x (2 O, 1 W), 2 x (14 O, 2 W)	38 min
48	25 Dr, 2 W	27 min
49	3 x (2 O, 1 W), 3 x (8 O, 2 W)	39 min
50	3 x (3 O, 1 W), 20 O, 2 W	34 min
51	2 x (4 O, 1 W), 3 x (8 O, 2 W)	40 min
52	Prestatieloop 5 km	25-50 min

Kern week 41 t/m 52 één training per week, standaardprogramma

Hieronder kun je weer de gevoelsscore invullen en controleren.

Week	Score	Norm
		1 2 3 4 5 6 7 8 9 10
41		OK — TE
42		OK — TE
43		OK — TE
44		OK — TE
45		OK — TE
46		OK — TE
47		OK — TE
48		OK — TE
49		OK — TE
50		OK — TE
51		OK — TE
52		OK

Scores week 41 t/m 52 één training per week, standaardprogramma

Standaardschema, twee keer trainen

Week	Dag	Kern	Duur
41	1	4 O, 1 W, 5 O, 1 W, 6 O, 1 W, 6 O, 1 W, 5 O, 1 W, 4 O, 1 W	36 min
	2	5 x (3 O, 1 W)	20 min
42	1	12 x (2 O, 1 W)	36 min
	2	2 x (10 Dr, 2 W)	24 min
43	1	2 x (2 O, 1 W), 4 x (5 O, 2 W), 2 x (1 O, 1 W)	38 min
	2	3 x (8 Dr, 2 W)	30 min
44	1	6 O, 2 W, 5 O, 2 W, 4 O, 2 W, 3 O, 2 W, 2 O, 2 W	30 min
	2	5 x (3 O, 1 W)	20 min
45	1	12 x (2 O, 1 W)	36 min
	2	2 x (12 Dr, 2 W)	28 min
46	1	2 x (2 O, 1 W), 3 x (7 O, 2 W), 2 x (2 O, 1 W)	39 min
	2	3 x (8 Dr, 2 W)	30 min
47	1	5 O, 1 W, 5 O, 1 W, 6 O, 1 W, 6 O, 1 W, 5 O, 1 W, 5 O, 1 W	38 min
	2	24 Dr, 2 W	26 min
48	1	20 x (1 O, 1 W)	40 min
	2	3 x (5 O, 2 W)	21 min
49	1	8 O, 2 W, 7 O, 2 W, 6 O, 2 W, 5 O, 2 W, 4 O, 2 W, 3 O, 2 W	45 min
	2	3 x (8 Dr, 2 W)	30 min
50	1	2 x (2 O, 1 W), 4 x (5 O, 2 W)	34 min
	2	25 Dr, 2 W	27 min
51	1	10 x (2 O, 1 W)	30 min
	2	4 x (5 O, 1 W)	24 min
52	1	Prestatieloop 5 km	25-50 min
	2	10 x (1 O, 1 W)	20 min

Kern week 41 t/m 52 twee trainingen per week, standaardprogramma

In de onderstaande tabel kun je je scores weer invullen en controleren.

Week	Trainingsscore 1	2	Score totaal	Norm 2 4 6 8 10 12 14 16 18 20		
41					OK	TE
42					OK	TE
43					OK	TE
44					OK	TE
45					OK	TE
46					OK	TE
47					OK	TE
48					OK	TE
49					OK	TE
50					OK	TE
51					OK	TE
52					OK	TE

Scores week 41 t/m 52 twee trainingen per week, standaardprogramma

Standaardschema, drie keer trainen

Week	Dag	Kern	Duur
41	1	4 O, 1 W, 5 O, 1 W, 6 O, 1 W, 6 O, 1 W, 5 O, 1 W, 4 O, 1 W	36 min
	2	10 x (1 O, 1 W)	20 min
	3	2 x (12 Dr, 2 W)	28 min
42	1	2 x (2 O, 1 W), 3 x (8 O, 2 W)	36 min
	2	10 x (1 O, 1 W)	20 min
	3	3 x (8 Dr, 2 W)	30 min
43	1	2 x (2 O, 1 W), 3 x (10 O, 2 W)	42 min
	2	10 x (1 O, 1 W)	20 min
	3	22 Dr, 2 W	24 min
44	1	5 x (5 O, 2 W)	35 min
	2	6 x (2 O, 1 W)	18 min
	3	3 x (6 Dr, 2 W)	24 min
45	1	2 x (2 O, 1 W), 3 x (10 O, 2 W)	42 min
	2	10 x (1 O, 1 W)	20 min
	3	24 Dr, 2 W	26 min
46	1	4 O, 1 W, 5 O, 1 W, 6 O, 1 W, 7 O, 2 W, 8 O, 2 W	37 min
	2	12 x (1 O, 1 W)	24 min
	3	3 x (7 Dr, 2 W)	27 min
47	1	2 x (2 O, 1 W), 2 x (15 O, 2 W)	40 min
	2	2 x (1 O, 1 W, 2 O, 1 W, 3 O, 1 W)	18 min
	3	2 x (15 Dr, 2 W)	34 min
48	1	5 x (5 O, 2 W)	35 min
	2	10 x (1 O, 1 W)	20 min
	3	3 x (6 Dr, 2 W)	24 min
49	1	2 x (2 O, 1 W), 3 x (10 O, 2 W)	42 min
	2	6 x (2 O, 1 W)	18 min
	3	2 x (15 Dr, 2 W)	34 min
50	1	2 x (2 O, 1 W), 4 x (8 O, 2 W)	46 min
	2	2 x (3 O, 1 W, 2 O, 1 W, 1 O, 1 W)	18 min
	3	25 Dr, 2 W	27 min
51	1	5 x (6 O, 1 W)	35 min
	2	10 x (1 O, 1 W)	20 min
	3	16 Dr, 2 W	18 min

Week	Dag	Kern	Duur
52	1	Prestatieloop 5 km	25-50 min
	2	5 x (2 **Dr**, 1 **W**)	15 min
	3	3 x (6 **Dr**, 2 **W**)	24 min

Kern week 41 t/m 52 drie trainingen per week, standaardprogramma

In het onderstaande schema kun je je training weer controleren.

Week	Trainingsscore			Score	Norm
	1	2	3	totaal	2 4 6 8 10 12 14 16 18 20 22 24 26 28 30
41					OK TE
42					OK TE
43					OK TE
44					OK TE
45					OK TE
46					OK TE
47					OK TE
48					OK TE
49					OK TE
50					OK TE
51					OK TE
52					OK TE

Scores week 41 t/m 52 drie trainingen per week, standaardprogramma

Vlot schema, twee keer trainen

Week	Dag	Kern	Duur
41	1	7 O, 2 W, 6 O, 2 W, 5 O, 2 W, 3 x (2 S, 2 W)	36 min
	2	4 x (5 O, 1 W)	24 min
42	1	3 x (3 O, 1 W), 4 x (2 S, 2 W), 3 x (2 O, 1 W)	37 min
	2	3 x (5 O, 2 W)	21 min
43	1	2 x (2 O, 1 W), 3 x (6 O, 2 W), 4 x (1 S, 1 W)	38 min
	2	2 x (8 O, 2 W)	20 min
44	1	6 O, 1 W, 5 O, 1 W, 4 O, 1 W, 3 O, 1 W, 2 O, 1 W, 1 O, 1 W	27 min
	2	5 x (3 O, 1 W)	20 min
45	1	3 x (3 O, 1 W), 4 x (2 S, 2 W), 3 x (3 O, 1 W)	40 min
	2	3 x (6 O, 1 W)	21 min
46	1	2 x (2 O, 1 W), 5 x (4 O, 1 W), 4 x (1 S, 1 W)	39 min
	2	2 x (10 O, 2 W)	24 min
47	1	2 x (2 O, 1 W), 3 x (9 O, 2 W)	39 min
	2	5 x (4 O, 1 W)	25 min
48	1	22 Dr, 2 W	24 min
	2	10 x (1 O, 1 W)	20 min
49	1	8 O, 2 W, 7 O, 2 W, 6 O, 2 W, 4 x (2 S, 2 W)	43 min
	2	6 x (3 O, 1 W)	24 min
50	1	2 x (2 O, 1 W), 3 x (8 O, 2 W), 4 x (1 S, 1 W)	44 min
	2	25 Dr, 2 W	27 min
51	1	3 x (2 O, 1 W), 3 x (2 S, 2 W), 3 x (2 O, 1 W)	30 min
	2	7 x (2 O, 1 W)	21 min
52	1	Prestatieloop 5 km	20-45 min
	2	10 x (1 O, 1 W)	20 min

Kern week 41 t/m 52 twee trainingen per week, vlot programma

In de onderstaande tabel kun je je scores weer invullen en controleren.

Week	Trainingsscore		Score totaal	Norm 2 4 6 8 10 12 14 16 18 20
	1	2		
41				OK TE
42				OK TE
43				OK TE
44				OK TE
45				OK TE
46				OK TE
47				OK TE
48				OK TE
49				OK TE
50				OK TE
51				OK TE
52				OK TE

Scores week 41 t/m 52 twee trainingen per week, vlot programma

Vlot schema, drie keer trainen

Week	Dag	Kern	Duur
41	1	3 x (2 **O**, 1 **W**), 2 x (14 **O**, 2 **W**)	41 min
	2	3 x (1 **O**, 1 **W**), 4 x (1 **S**, 1 **W**), 3 x (1 **O**, 1 **W**)	20 min
	3	2 x (12 **Dr**, 2 **W**)	28 min
42	1	2 x (2 **O**, 1 **W**), 3 x (9 **O**, 2 **W**)	39 min
	2	4 x (2 **O**, 1 **W**, 1 **S**, 2 **W**)	24 min
	3	3 x (7 **Dr**, 2 **W**)	27 min
43	1	2 x (2 **O**, 1 **W**), 2 x (15 **O**, 2 **W**)	40 min
	2	3 x (1 **O**, 1 **W**), 4 x (1 **S**, 1 **W**), 3 x (1 **O**, 1 **W**)	20 min
	3	2 x (14 **Dr**, 2 **W**)	32 min
44	1	5 x (5 **O**, 2 **W**)	35 min
	2	3 x (2 **O**, 1 **W**, 1 **S**, 2 **W**)	18 min
	3	3 x (6 **Dr**, 2 **W**)	24 min
45	1	2 x (2 **O**, 1 **W**), 2 x (15 **O**, 2 **W**)	40 min
	2	3 x (1 **O**, 1 **W**), 3 x (2 **S**, 2 **W**), 3 x (1 **O**, 1 **W**)	24 min
	3	25 **Dr**, 2 **W**	27 min
46	1	2 x (2 **O**, 1 **W**), 3 x (10 **O**, 2 **W**)	42 min
	2	10 x (1 **S**, 1 **W**)	20 min
	3	3 x (8 **Dr**, 2 **W**)	30 min
47	1	2 x (2 **O**, 1 **W**), 2 x (15 **O**, 2 **W**)	40 min
	2	2 x (1 **S**, 1 **W**, 2 **S**, 2 **W**, 3 **S**, 2 **W**)	22 min
	3	30 **Dr**, 2 **W**	32 min
48	1	6 **O**, 1 **W**, 5 **O**, 1 **W**, 4 **O**, 1 **W**, 3 **O**, 1 **W**, 2 **O**, 1 **W**, 1 **O**, 1 **W**	27 min
	2	10 x (1 **S**, 1 **W**)	20 min
	3	3 x (6 **Dr**, 2 **W**)	24 min
49	1	2 x (2 **O**, 1 **W**), 2 x (15 **O**, 2 **W**)	40 min
	2	5 x (2 **S**, 2 **W**)	20 min
	3	30 **Dr**, 2 **W**	32 min
50	1	2 x (4 **O**, 1 **W**), 3 x (8 **O**, 1 **W**)	37 min
	2	2 x (3 **S**, 2 **W**, 2 **S**, 2 **W**, 1 **S**, 2 **W**)	24 min
	3	3 x (8 **Dr**, 2 **W**)	30 min
51	1	6 x (5 **O**, 1 **W**)	36 min
	2	10 x (1 **S**, 1 **W**)	20 min
	3	18 **Dr**, 2 **W**	20 min

Week	Dag	Kern	Duur
52	1	Prestatieloop 5 km	20-40 min
	2	5 x (2 **Dr**, 1 **W**)	15 min
	3	3 x (6 **Dr**, 2 **W**)	24 min

Kern week 41 t/m 52 drie trainingen per week, vlot programma

In de onderstaande tabel kun je je scores weer invullen en controleren.

Week	Trainingsscore 1	2	3	Score totaal	Norm 2 4 6 8 10 12 14 16 18 20 22 24 26 28 30
41					OK · · · TE
42					OK · · · TE
43					OK · · · TE
44					OK · · · TE
45					OK · · · TE
46					OK · · · TE
47					OK · · · TE
48					OK · · · TE
49					OK · · · TE
50					OK · · · TE
51					OK · · · TE
52					OK · · · TE

Scores week 41 t/m 52 drie trainingen per week, vlot programma

HOE VERDER?

Na een jaar training

Je hebt nu een programma van een jaar achter de rug. In dat jaar heb je door hardlopen flink aan je conditie gewerkt. Ook heb je oefeningen gedaan waardoor je je hele lichaam hebt getraind.

In dit afsluitende hoofdstuk kijken we kort vooruit naar hoe je verder kunt gaan met hardlopen.

Plannen maken

Het kan zijn dat je je na een jaar trainen lekker voelt en niet verlangt naar meer of sneller. Dat is prachtig. Hardlopen is een gezonde bezigheid, vooral als je de bijbehorende oefeningen blijft doen.

Stel inspirerende, maar realistische doelen.

Als je wel honger hebt naar meer of sneller, moet je beginnen met realistische doelen te stellen. Te veel willen is een recept voor ongelukken. Langjarig onderzoek heeft laten zien dat hardloopblessures vooral optreden als lopers meer of anders gaan hardlopen. Bij 'anders' moet je vooral aan sneller denken. Maar ook het veranderen van loopstijl is riskant. Blessures kunnen echter ook optreden bij plotselinge verandering van ondergrond of combinaties met andere activiteiten.

Welke plannen je ook maakt, houd je aan de volgende regels.

Bouw rustig op.

- *Altijd rustig opbouwen.* Niet meer dan 10% meer per maand.
- *Niet plotseling sneller gaan lopen.* Dit kan heel gemakkelijk ongemerkt gebeuren als je een ander loopmaatje vindt of als je je aansluit bij een loopgroep. Laat je nooit meeslepen door het looptempo van een ander.

Pas op voor plotselinge verandering in training of omgeving. Zorg wel voor voldoende variatie.

- *Altijd wennen aan een nieuwe loopomgeving.* Als je heuvelachtig terrein in je programma wilt opnemen, moet je dit heel langzaam opbouwen. Dit geldt ook voor andere soorten ondergrond.
- *Variatie in je trainingen.* Doe niet iedere dag hetzelfde. Als je altijd hetzelfde doet, is de kans op blessures aanmerkelijk groter dan bij gevarieerde trainingen. Bovendien geven gevarieerde trainingen ook een beter resultaat.

In de volgende paragraaf gaan we in vogelvlucht kijken wat een realistisch vervolg zou kunnen zijn.

Een realistisch meerjarenplan

Aan het eind van je eerste trainingsjaar ben je in staat geweest om een 5 km prestatieloop goed af te leggen. De volgende tabel geeft een mogelijk meerjarenplan voor de ambitieuze loper wiens uiteindelijke doel het lopen van een marathon is.

Jaar	Doel aan het eind van het jaar	Aantal trainingen per week
1	5 km prestatieloop	1 à 3
2	10 km prestatieloop	2 à 3
3	10 mijl prestatieloop (bijvoorbeeld van Dam tot Dam)	2 à 3
4	halve marathon (21,1 km)	3 à 4
5	halve marathon binnen 1 uur 50 minuten	3 à 4
6	marathon (42,2 km)	4 à 6

We willen hier helemaal niet mee zeggen dat je als doel een marathon moet hebben. Sterker nog, voor de meeste mensen is een marathon te veel van het goede. Wat je je moet realiseren is dat je minstens zes jaar moet uittrekken voor een marathon. Als je dit niet doet, loop je een grote kans op blessures. En wat nogal eens voorkomt is dat mensen het plezier in het hardlopen verliezen als ze te snel naar de lange afstanden toe willen.

Af en toe een 10 km prestatieloop is eigenlijk een heel mooi doel.

Oefeningen blijven doen

Een mensenlichaam kan goed overweg met hardlopen. Toch is hardlopen een tamelijk eenzijdige bezigheid. Daarom kun je het beste hardlopen altijd blijven combineren met oefeningen voor kracht, beweeglijkheid en techniek.

Oefeningen zorgen voor variatie en daardoor een brede belastbaarheid.

Het is heel gemakkelijk om je schoenen aan te trekken en te gaan draven. En door te draven totdat je weer thuis bent. Je zult er op termijn echter baat bij hebben als je het vaste maar gevarieerde ritueel uit dit boekje volgt. Dus altijd rustig inlopen, een warming-up met kracht- en techniekoefeningen en een goede cooling-down.

Juist als je lopen in de lift zit, ligt het blessurespook op de loer.

Regels voor blessurevrij lopen

Welk plan je ook maakt, er is een aantal regels waar je je aan moet houden.

- Niet meer dan 10% extra (in tijd of afstand) lopen per week.
- Niet meer dan 20% extra (in tijd of afstand) lopen per maand (je kunt dus niet vier weken achter elkaar 10% meer gaan lopen).
- Wissel training en rustdagen af.
- Minstens iedere maand een week waarin je gas terugneemt: een keer een training overslaan, of alles wat inkorten.
- Ieder jaar een paar weken wat minder trainen. Je lichaam heeft af en toe vakantie nodig.
- Na ziekte of blessures, langzaam weer opbouwen. Na een week niet lopen kun je snel weer terugkomen. Als je er vier weken uit bent geweest, kun je bijvoorbeeld beginnen met de helft van de afstand die je gewend was.
- Wennen aan nieuwe omstandigheden: andere ondergrond, nieuwe schoenen, andere trainingsvorm.
- Als je een blessure krijgt, altijd (met professionele hulp) de oorzaak zoeken en die wegnemen.
- Blijf een goede warming-up en cooling-down doen.
- Blijf je kracht- en techniekoefeningen doen.

Verder met een schema

Als het je goed beviel om aan de hand van een strak schema te lopen, kun je week 29 t/m 52 van dit boek als basis nemen om verder te gaan. Als je geen verdere ambities hebt, maar lekker wilt blijven lopen kun je de loopschema's herhalen zolang je wilt. Je kunt natuurlijk ook variaties aanbrengen. Houd dan wel rekening met de regels voor blessurevrij lopen.

Lopen op gevoel

In dit boekje hebben we je met strakke schema's laten werken. Veel mensen vinden schema's handig. Ze geven houvast. Toch houden schema's geen rekening met jouw dag. Je voelt je niet iedere dag even fit. Het kan ook voorkomen dat je je een langere periode niet fit voelt. Dan werkt zo'n schema niet.

Als schema's voor jou te beperkend zijn, dan kun je proberen puur op gevoel te gaan lopen. Dat moet je wel oefenen.

Het gevoel waar we het nu over hebben is wel wat anders dan de gevoelsscore zoals we die in de vorige hoofdstukken aangereikt hebben. Dit waren vooral scores achteraf. We gaan nu een manier aangeven om je tijdens het lopen vooral door je gevoel te laten leiden.

Bijna iedereen heeft weleens de ervaring gehad dat hij zijn hardloopschoenen aan had gedaan, 100 m op weg was en zich afvroeg waar hij mee bezig was. Het 'voelde' helemaal niet goed.

Moeilijk te preciseren, maar moe gevoel, niet lekker gevoel, zwaar gevoel, alles-en-overal naar gevoel. Deze gevoelens kun je gebruiken om je training te sturen.

Er volgen nu twee mogelijkheden om op gevoel te lopen. De eerste is volledig op gevoel, de tweede is wat strakker georganiseerd.

Voorbeeld 1: helemaal op gevoel

Ook al loop je op gevoel, schakel je verstand niet uit.

De kern van je trainingen gaat als volgt.

Je start en gaat heel rustig hardlopen. Zodra je je moe voelt, stop je en wandel je verder totdat je weer zin hebt om te gaan hardlopen. Dit herhaal je een aantal keren. Je hebt natuurlijk eerst wel ingelopen en je oefeningen gedaan.

Door het trainingseffect dat plaatsvindt kun je het uiteindelijk vanzelf langere stukken volhouden. Blijf evengoed tussendoor wandelen om te herstellen. Dat is goed voor je lijf en om te voelen hoe je erbij staat.

En je moet je aan de regels voor blessurevrij lopen houden. Je mag dus niet meer dan 10% meer gaan trainen dan wat je de vorige week deed.

Voorbeeld 2: gestructureerd gevoel

We onderscheiden twee typen training:
* een *training op gevoel*
* een *onderhoudstraining*.

De *training op gevoel* gaat als volgt.

Je start en gaat heel rustig hardlopen. Zodra je je moe voelt, stop je en wandel je verder totdat je weer zin hebt om te gaan hardlopen. Dit herhaal je een aantal keren.

De *onderhoudstraining* dient alleen voor het onderhouden van je conditie. Je doet daarom wat je in de vorige training op gevoel deed, maar alle hardgelopen stukken ongeveer 20% korter. Dus als je de vorige keer op gevoel vier keer 5 minuten liep, dan loop je nu vier keer 4 minuten. De wandelpauzes laat je hetzelfde. Dit luistert niet vreselijk nauw. Ook hierbij mag je je gevoel laten meespelen.

In het voorgaande is alleen de kern van de trainingen aangegeven. Je moet natuurlijk gewoon een warming-up, oefeningen en een cooling-down doen.

Een volledige trainingsopzet voor twee trainingen per week ziet er dan als volgt uit.

Week 1 training 1 *training op gevoel.*

Week 1 training 2 *onderhoudstraining.*

Week 2 training 1 *training op gevoel.*

Week 2 training 2 *onderhoudstraining.*

Week 3 enzovoort.

Bij drie trainingen per week doe je steeds twee onderhoudstrainingen voordat je weer een training op gevoel doet.

Zorg altijd voor afwisseling in je trainingen!

Door het trainingseffect dat plaatsvindt, kun je het vanzelf langere stukken volhouden. Blijf evengoed pauzes wandelen om te herstellen. Dat is goed voor je lijf en om te voelen hoe je erbij staat.

Houd natuurlijk rekening met de regels voor blessurevrij lopen.

REGISTER

11

O